D1284651

Sommaire

Introduction

La déconstruction comme esthétique et critique littéraire

La tentative de présenter la déconstruction dans une perspective philosophique et esthétique ne s'explique pas seulement par la volonté d'éviter l'abstraction d'une approche globale trop hétérogène, mais aussi par le fait que c'est vers la problématique esthétique que semblent converger les principaux énoncés introduits par Derrida dans la discussion philosophique. C'est vers le texte littéraire, poétique que s'oriente la déconstruction française, dont l'un des concepts clés – la *dissémination* – est d'origine mallarméenne. Derrida lui-même confirme cette orientation en commentant la première phase de son évolution intellectuelle : « Mon intérêt le plus constant, je dirai même avant l'intérêt philosophique, si c'est possible, allait vers la littérature, vers l'écriture dite littéraire. »[1]

Une autre raison pour envisager la déconstruction d'un point de vue esthétique (qui produit un objet philosophique-esthétique plutôt que linguistique ou psychanalytique) réside dans la structure de cet ouvrage dont le troisième chapitre est consacré à la critique littéraire aux Etats-Unis. C'est à l'Université de Yale que des auteurs comme Paul de Man et Geoffrey H. Hartman ont été influencés par la pensée de Jacques Derrida qui est à son tour issue d'une lecture critique de Platon, Kant, Hegel, Rousseau, Nietzsche, Husserl et Heidegger. Les théoriciens de Yale ont eux-mêmes entamé le dialogue avec ces philosophes. C'est surtout Paul de Man qui

[1] Derrida J., *Du droit à la philosophie*, Paris, Galilée, 1990, p. 443.

a développé une critique littéraire déconstructiviste en partant de positions nietzschéennes et en critiquant la tradition métaphysique de l'idéalisme allemand. Tout en se réclamant de Nietzsche et Derrida d'autres représentants de la déconstruction américaine, notamment Geoffrey H. Hartman, ont cherché à renouer avec la tradition romantique de Friedrich Schlegel qui jouera un rôle important dans le premier chapitre de cet ouvrage. On verra qu'il existe, indépendamment des influences directes, des affinités typologiques (des analogies) entre les arguments de la déconstruction et ceux des romantiques allemands.

Avant d'aborder le contexte philosophique et esthétique qui constitue l'arrière-plan de la déconstruction, telle qu'elle est envisagée ici, il convient de préciser la perspective dans laquelle cette approche philosophique sera présentée et critiquée. Il ne s'agit pas d'une critique qui, en appliquant des critères extérieurs (analytiques, marxistes ou existentialistes), aboutit à une « réfutation » de la déconstruction. Au lieu de céder à la tentation d'une téléologie facile et dogmatique, le discours de cet ouvrage qui s'inspire de la Théorie critique de Theodor W. Adorno et Max Horkheimer recherche le *dialogue* avec Jacques Derrida et ses amis américains.

Ce dialogue est fondé – au moins en partie – sur l'idée que les phénomènes sociaux, psychiques et linguistiques sont *ambivalents* : le discours critique sur la déconstruction n'est pas radicalement différent de celle-ci, ce qui fait que sa critique aboutit souvent à une critique de ses propres positions. Dans le dernier chapitre par exemple, on verra à quel point certains arguments avancés par Jürgen Habermas contre Derrida sont fondés sur des simplifications. De telles simplifications ne sauraient être évitées que par un discours ironique qui s'oriente vers l'ambivalence et le dialogue et qui reconnaît dans l'adversaire critiqué – au moins de temps en temps – sa propre image.

I

Dialectique, esthétique et déconstruction

La *déconstruction* que Jacques Derrida conçoit comme une *subversion systématique de la métaphysique européenne* pourrait être définie, dans un premier temps, comme une *tentative pour dissocier la pensée critique de la tradition philosophique institutionnalisée et pour mettre en question la domination du concept et de la conceptualisation*, dont l'expression la plus rigoureuse est le système philosophique (en particulier celui de Hegel) et le système linguistique de Saussure. Derrida cherche à décomposer ces systèmes en révélant leurs ambiguïtés et leurs contradictions (cf. plus bas sa critique de Kant). La discussion déclenchée par sa critique des systèmes philosophiques et du structuralisme est inséparable de la tradition philosophique et esthétique allemande que Derrida développe en polémiquant contre ses présupposés métaphysiques.

Son attitude envers des penseurs comme Georg Wilhelm Friedrich Hegel (1770-1831) ou Martin Heidegger (1889-1976) est foncièrement ambivalente, dans la mesure où le philosophe français renoue avec certains énoncés de ces auteurs pour subvertir les fondements de leurs systèmes. Il développe ce qu'il appelle « stratégie générale, théorique et systématique, de la déconstruction philosophique »[1] en se servant de quelques concepts et arguments idéalistes pour révéler leur caractère contradictoire, aporétique.

Pour comprendre Derrida et les critiques littéraires américains qui se réclament de lui il est donc nécessaire d'aborder quelques problèmes fondamentaux de l'idéalisme allemand qui servent de points de repère à la déconstruction. Presque tous

[1] Derrida J., *Positions*, Paris, Minuit, 1972, p. 93.

ces problèmes convergent et se cristallisent dans l'idée que se font les différents philosophes du beau naturel, de l'œuvre d'art et du texte littéraire.

Ils convergent aussi au niveau sémiotique : dans la conception du signe linguistique, artistique ou autre. A la différence de Hegel et de certains successeurs marxistes (p. ex. Georges Lukács) qui croient pouvoir ramener des œuvres d'art et des textes littéraires à des structures conceptuelles ou des structures de signifiés univoques, Emmanuel Kant (1724-1804) et ses disciples modernes se montrent sceptiques à l'égard de la conceptualisation de l'art. Ils tendent à considérer le signe artistique plutôt comme un ensemble de signifiants polysémiques et interprétables qui « évoquent des idées » sans qu'on puisse les identifier à des concepts particuliers.

Les sémioticiens contemporains diraient avec le Danois Louis Hjelmslev (1899-1965) que les uns, par exemple les « hégéliens », tendent à privilégier le *plan du contenu*, défini globalement comme l'ensemble des signifiés, tandis que les autres, les « kantiens », s'orientent vers le *plan de l'expression*, défini comme l'ensemble des signifiants. Il y aurait donc au moins deux esthétiques : une esthétique de l'expression (du signifiant) et une esthétique du contenu (du signifié). On verra que pour Derrida même la distinction saussurienne entre signifiant et signifié est, tout comme celle entre expression et contenu, une relique de la métaphysique européenne.

1. Kant, Hegel, Derrida : la conceptualisation du beau

L'un des problèmes irrésolus de l'esthétique moderne (de Kant à Derrida) est la question de savoir si l'art a un équivalent conceptuel et s'il peut être expliqué par des concepts. La position kantienne est bien connue et continue à jouer un rôle essentiel dans la critique littéraire et la théorie de l'art contemporaines (cf. chap. III) : Kant définit le beau naturel et artistique comme un phénomène qui plaît « sans concept » (« ohne Begriff ») et qui devrait être considéré par le spectateur avec désintéressement ou détachement (« interesseloses Wohlgefallen »). Contre l'utilitarisme et le rationalisme des Lumières, de l'*Aufklärung* de Christian Wolff et Johann Christoph Gottsched, Kant affirme l'autonomie de l'art et rejette toute tentative pour le subordonner à des buts hétéronomes : didactiques, religieux, politiques ou commerciaux (« Zweckmäßigkeit ohne Zweck »).

Pour le contexte ébauché ici, la thèse kantienne selon laquelle le beau naturel et l'art plaisent sans concept est particulièrement importante dans la mesure où elle est issue d'une théorie de la connaissance qui insiste sur les limites de la cognition. Le savoir est limité étant donné que le sujet ne saurait envisager les objets autrement que dans l'espace et dans le temps, c'est-à-dire subjectivement : l'« objet en tant que tel », le « Ding an sich », est inconnaissable.

Cette théorie des limites a des conséquences importantes au niveau esthétique, où Kant refuse de dissoudre l'objet artistique (ou naturel) dans la pensée conceptuelle en l'identifiant à un concept particulier. Bien qu'il reconnaisse l'importance du beau pour la connaissance abstraite, il distingue, dans sa *Critique de la faculté de juger* (1790), les *idées esthétiques* (*ästhetische Ideen*) des *idées de la raison* (*Vernunftideen*) et cherche à démontrer que ces deux catégories d'idées ne sauraient être traduites les unes dans les autres. D'une part, la beauté d'un objet esthétique (naturel ou artistique) est universellement reconnue : c'est l'aspect conceptuel de l'art que Kant n'a jamais nié. D'autre part, l'objet esthétique n'exprime jamais – malgré sa validité universelle – un concept particulier, définissable. Kant conclut que le jugement esthétique est fondé sur des *concepts indéterminés* : il suscite des images irréductibles à la raison conceptuelle.

Par conséquent, toute création esthétique dépasse la représentation conceptuelle, vu qu'elle ne *dénote* rien de précis et que ses rapports avec la pensée conceptuelle se situent au niveau de l'évocation ou, comme diraient les sémioticiens, au niveau de la *connotation* (signification dérivée). Toutes les tentatives des hégéliens-marxistes pour trouver les *équivalents* conceptuels des œuvres d'art ou des textes littéraires apparaissent aux kantiens comme de vaines chimères[2].

Ce jugement, généralement accepté par l'esthétique universitaire, est pourtant mis en question par Jacques Derrida qui insiste sur une contradiction sous-jacente à la troisième *Critique* de Kant. Dans *La vérité en peinture* (1978), il cherche à démontrer que Kant s'efforce d'appliquer « une analytique des jugements logiques à une analytique des jugements esthétiques ». Cette tentative d'*encadrement* logique ne réussit guère dans un discours qui déclare que le *cadre*, le *parergon* est secondaire en art, et Derrida conclut en révélant les contradictions sous-jacentes au rapport kantien entre jugement conceptuel et jugement esthétique : « L'analytique du beau travaille, défait donc sans cesse le travail du cadre dans la mesure où, tout en se laissant quadriller par l'analytique des concepts et par la doctrine du jugement, elle décrit l'absence du concept dans l'activité du goût. »[3]

Autrement dit : le discours kantien sur le beau désavoue toutes les tentatives de Kant pour relier – au moins indirectement – le jugement esthétique au jugement logique. On voit ici dans quelle mesure le discours de la déconstruction insiste sur les *contradictions*, les *apories* des discours critiqués : Derrida reproche à Kant de concevoir le beau à la fois *avec* et *sans* concept. L'exposition de Kant « *rassemble* sans-concept et concept, l'universalité *sans* concept et l'universalité *avec*

[2] R. Wiehl nous rappelle que Kant a explictement exclu « la possibilité d'une science du beau ». Cf. Wiehl R., Prozesse und Kontraste, dans *Kant oder Hegel ? Über Formen der Begründung in der Philosophie* (éd. D. Henrich), Stuttgart, Klett-Cotta, 1983, p. 562.

[3] Derrida J., *La vérité en peinture*, Paris, Flammarion, 1978, p. 87.

concept, le *sans* et l'*avec* (...) »[4]. Selon Derrida, cette aporie illustre l'échec de la conceptualisation dans la mesure où elle fait apparaître un hiatus entre le beau et le concept qui n'est pas « son » concept.

Dans ce contexte, la philosophie et l'esthétique de Hegel se situent aux antipodes de la déconstruction *et* de la pensée kantienne. A la conception kantienne d'une connaissance limitée – encore trop conceptuelle pour Derrida – Hegel substitue une connaissance totalisante qui nie le caractère inconnaissable de « l'objet en soi » (« Ding an sich ») et qui aboutit à l'identification du sujet et de l'objet.

Le décalage qui subsiste initialement entre le sujet et l'objet, entre la conscience et la réalité, est finalement dépassé par une *dialectique de la totalité* au cours de laquelle le sujet reconnaît dans le monde réel sa propre création. Les péripéties de cette dialectique sont tracées par la *Phénoménologie de l'esprit* (1807) dont l'auteur cherche à démontrer à quel point les contradictions issues de la confrontation entre l'esprit et le réel sont surmontées par un savoir global qui aboutit à la connaissance absolue : « Dans la *Phénoménologie de l'esprit* (Bamb. et Würz., 1807), j'ai présenté la conscience dans son mouvement évolutif depuis la première opposition immédiate d'elle et de l'objet jusqu'au Savoir absolu. »[5]

Nous retrouvons ce mouvement dans la *Philosophie de l'histoire* (1812) et dans la *Science de la logique* (1812-16) où Hegel développe une logique dialectique du concept[6]. Celle-ci peut être considérée comme positive, dans la mesure où elle ne s'arrête pas à la négation ou à l'ambivalence comme unité

[4] *Ibid.*, p. 88.

[5] Hegel G. W. F., *Science de la logique*, 1er t., 1er livre, *L'Etre*, éd. de 1812, trad. P.-J. Labarrière, G. Jarczyk, Paris, Aubier, 1972, p. 17.

[6] Voir à ce sujet : Dubarle D., Doz A., *Logique et dialectique*, Paris, Larousse, 1972, p. 82. Les auteurs nous rappellent qu'il ne s'agit pas d'une logique propositionnelle dans le cas de Hegel.

des contraires : elle dépasse les contradictions dans des synthèses de plus en plus élevées et finit par atteindre l'idée absolue qui témoigne, comme le savoir absolu de la *Phénoménologie*, de l'identité complète entre le sujet et l'objet. Cette identité dans l'*Idée absolue* (*absolute Idee*, Hegel) apparaît dans la *Science de la logique* comme la vérité tout court : « (...) Seule l'idée absolue est l'*Etre*, *Vie* impérissable, *Vérité* autoconsciente et *toute la Vérité.* » (« Die absolute Idee allein ist *Sein*, unvergängliches *Leben, sich wissende Wahrheit*, und ist *alle Wahrheit.* »[7])

L'identité entre le sujet et l'objet qui se manifeste chez Hegel sur les plans historique, phénoménologique et logique régit également sa dialectique esthétique. A la différence de Kant qui insiste sur le caractère originel du beau naturel et affirme que celui-ci plaît sans concept, Hegel cherche à prouver la supériorité de la beauté artistique, parle du « caractère défectueux du beau naturel » (« Mangelhaftigkeit des Naturschönen ») et croit comme les rationalistes à la possibilité d'une science du beau. A ses yeux une définition conceptuelle de l'art (et de la nature) est possible et l'œuvre d'art individuelle apparaît comme accessible à l'analyse philosophique.

L'esprit en tant que sujet reconnaît dans l'objet esthétique son propre domaine : « C'est pourquoi l'œuvre d'art, dans laquelle la pensée s'aliène d'elle-même, fait partie du domaine de la pensée conceptuelle, et l'esprit, en la soumettant à l'examen scientifique, ne fait que satisfaire le besoin de sa nature la plus intime. »[8] L'analyse philosophique ou scientifique (science et philosophie sont des synonymes pour Hegel) dépasse donc l'altérité du phénomène artistique en reconnaissant dans celui-ci sa propre création. Gérard Bras écrit à propos de Hegel : « L'art est dépassé quand la contradiction

[7] Hegel G. W. F., *Wissenschaft der Logik*, t. 2, Suhrkamp, 1969, p. 549.

[8] Hegel G. W. F., *Introduction à l'esthétique*, Paris, Aubier-Montaigne, 1964, p. 32.

entre sensible et spirituel est épuisée. Tel est le présupposé idéaliste fondamental selon lequel tout se ramène finalement à l'identité de l'esprit lui-même. »[9] Cette identité constitue le *telos* de l'évolution historique hégélienne qui aboutit à une absorption (*Aufhebung*) de l'art par la philosophie (la science).

Pourtant, Hegel – comme plus tard les marxistes hégéliens Georges Lukács et Lucien Goldmann – peut affirmer qu'il ne réduit pas l'art au concept dans la mesure où il reconnaît dans le caractère sensible de l'art (« sinnlich ») ce qui le distingue de la pensée philosophique et religieuse : « Mais il diffère de la religion et de la philosophie par le fait qu'il possède le pouvoir de donner de ces idées élevées une représentation sensible qui nous les rend accessibles. »[10] Malgré cette distinction, on voit que Hegel considère la fonction esthétique comme une fonction *auxiliaire* et l'art tout entier comme un serviteur de la philosophie : il sert à illustrer les idées de celle-ci et à les rendre accessibles aux sens.

Si l'on tient compte de cette subordination de l'art à la pensée conceptuelle, on n'est guère surpris de voir Hegel affirmer au niveau historique que, « dans la hiérarchie des moyens servant à exprimer l'absolu, la religion et la culture issue de la raison occupent le degré le plus élevé, bien supérieur à celui de l'art »[11]. Adorno reproche à Hegel d'avoir fondé une esthétique hétéronome et d'avoir été le précurseur de l'hétéronomie marxiste, telle qu'elle apparaît plus tard chez Lukács et Goldmann[12].

Quelle attitude adoptent les représentants de la déconstruction à l'égard de Hegel ? Quelle position occupent-ils entre Hegel et Kant ? Tout d'abord il faut distinguer la décon-

[9] Bras G., *Hegel et l'art*, Paris, PUF, 1989, p. 90.

[10] Hegel G. W. F., *Introduction à l'esthétique*, *op. cit.*, p. 41.

[11] *Ibid.*, p. 42.

[12] Cf. Adorno T. W., *Théorie esthétique*, trad. M. Jimenez, Paris, Klincksieck, 1989, p. 106-107, p. 124-126.

struction derridienne de celle développée par ses disciples américains. A la différence de critiques littéraires comme Geoffrey H. Hartman qui rejettent sans ambages le *logocentrisme* – la domination du concept-signifié sur le signifiant et du sujet pensant sur l'objet –, Derrida utilise certaines stratégies hégéliennes afin de mieux subvertir le système métaphysique du philosophe allemand. Dans la troisième section et le second chapitre de cet ouvrage, on verra à quel point il renoue avec la critique antimétaphysique des « jeunes hégéliens » (Feuerbach, Stirner, Vischer) et de Nietzsche. A cet égard, Paul de Man, en tant que critique nietzschéen, peut être considéré comme son disciple.

Pourtant, le nietzschéisme de ce déconstructiviste américain le pousse souvent vers le pôle kantien, vers une pensée des limites qui refuse de dissoudre l'objet (esthétique) dans une conceptualisation totalisante menée par un sujet dominateur. Dans *The Resistance to Theory* (1986), il se réclame de Kant qui aurait reconnu l'importance de la figure, en particulier de la métaphore, dans « notre discours philosophique »[13]. Aux yeux de Paul de Man, la figure est ce qui résiste d'emblée à la conceptualisation théorique, jadis soumise à un doute radical par Nietzsche.

Malgré ces affinités entre la pensée de Kant et la déconstruction américaine influencée par l'esthétique kantienne du New Criticism (cf. chap. III), il serait erroné de voir – face à la critique déconstructrice que Derrida adresse à l'esthétique de Kant – dans les théories développées à Yale des tentatives pour restaurer le kantisme. La plupart de ces théories devraient être caractérisées comme antihégéliennes, nietzschéennes et romantiques. On verra que leur critique du *logocentrisme* hégélien est au cœur du problème et qu'elle a

[13] De Man P., *The Resistance to Theory*, Minneapolis, Univ. of Minnesota Press, 1986, p. 75.

été influencée par Derrida : tout comme leurs lectures de Nietzsche et leurs conceptions de l'art et de la nature. Hartman, Miller et de Man se réclament de Derrida et cherchent à révéler les limites de la pensée conceptuelle en insistant sur l'importance du langage figuratif et sur l'autonomie du *plan de l'expression* (du *signifiant*) par rapport au concept théorique. Comme Derrida, Nietzsche et les romantiques allemands, ils prennent le contre-pied de la thèse hégélienne selon laquelle l'art, en tant que mode de connaissance inférieur, doit être subordonné au *logos*.

2. *Le romantisme de Friedrich Schlegel : une déconstruction avant la lettre ?*

Bien avant Nietzsche et ses successeurs, la subordination hégélienne de l'art au concept fut contestée par les représentants du romantisme, en particulier par les frères Schlegel (August Wilhelm Schlegel, 1767-1845 ; Friedrich Schlegel, 1772-1829), dont les écrits sont traités par Hegel avec la condescendance d'un philosophe professionnel qui daigne s'abaisser au niveau des amateurs[14]. L'aversion de Hegel n'est pas due à un hasard individuel, mais témoigne de la méfiance de la pensée dialectique à l'égard des auteurs romantiques qui chantent les louanges de l'obscurité du langage.

C'est surtout Friedrich Schlegel qui, dans son célèbre traité « Sur l'incompréhensibilité » (« Über die Unverständlichkeit »), insiste sur l'opacité du mot, tout en admettant que l'art et la science sont les principales sources de cette opacité ou incompréhensibilité : « (...) Je voulais démontrer que l'on obtient la plus parfaite et la plus pure incompréhensibilité de la science et de l'art, de la philosophie et de la philologie qui,

[14] Cf. Hegel G. W. F., *Introduction à l'esthétique, op. cit.*, p. 129-130.

en tant que telles, visent la compréhension et l'intelligibilité (...). »[15] Ici apparaît – pour la première fois peut-être – la structure paradoxale qui régit les arguments de la déconstruction, en particulier ceux de Paul de Man et J. Hillis Miller : 1. les textes littéraires sont contradictoires ; 2. leur structure aporétique rend impossible leur explication par rapport aux notions de totalité et de cohérence. Selon ces critiques, des auteurs comme Marcel Proust ou George Eliot cherchent à démontrer la validité d'une pensée particulière (la supériorité de la métaphore ou le caractère non figuratif du réalisme), mais finissent par révéler le contraire (le rôle essentiel de la métonymie, l'importance de la figure pour le réalisme). Derrida pousse le paradoxe au paroxysme en insistant sur les contradictions du rationalisme et sur les aspects déconstructeurs du *système* hégélien.

En posant les problèmes du paradoxe et de l'ironie, qui apparaissent clairement dans le passage cité plus haut, Schlegel lance un défi au rationalisme des Lumières (*Aufklärung*) qui ne saurait accepter l'idée hérétique que la science et la philosophie rendent plus épaisse l'obscurité de la parole au lieu de répandre la lumière de la raison. Mais le penseur romantique ne provoque pas seulement les rationalistes, dont la philosophie est en déclin au début du XIXe siècle, il défie aussi l'autorité du système hégélien qui cherche à rendre la réalité transparente en identifiant le sujet et l'objet. En fin de compte, il provoque Hegel qui se venge dans son *Esthétique* en se moquant du dilettantisme des philosophes romantiques.

Le romantisme des frères Schlegel ne s'oppose pas seulement à la pensée systématique et à l'idée hégélienne d'une compréhension englobante, totalisante ; il rejette aussi toute tentative pour subordonner l'art à la pensée conceptuelle. Il

[15] Schlegel F., *Über die Unverständlichkeit*, dans F. Schlegel, *Kritische Ausgabe*, t. III, Paderborn, Schöningh, 1967, p. 364.

s'en tient à la maxime romantique « que *la poésie survivra seule à tout le reste des arts* et qu'elle se substituera par conséquent à la philosophie »[16]. Il prend ainsi le contre-pied de la thèse hégélienne selon laquelle l'art qui s'adresse aux sens ne fait que reproduire les péripéties du logos philosophique. A l'inverse de Hegel qui croit fermement à une science dialectique de l'art, F. Schlegel affirme que « la poésie ne peut être critiquée que par la poésie »[17] et anticipe ainsi sur l'idée de la déconstruction (de Hartman) qu'il faut opérer une fusion entre le critique littéraire et l'écrivain.

Dans ses commentaires sur l'incompréhensibilité, Schlegel admet sans ambages qu'il « considère l'art comme le noyau de l'humanité » (« daß ich die Kunst für den Kern der Menschheit halte »)[18]. A la différence des rationalistes (Gottsched) et des hégéliens qui réduisent l'art à sa fonction didactique ou en font un serviteur de la philosophie, le romantique insiste donc sur la supériorité de l'art et de la poésie sur le discours conceptuel. Il est le premier à attaquer le logocentrisme de l'époque et sa critique de la raison des Lumières, ainsi que de la raison dialectique, anticipe, à bien des égards, celle de Jacques Derrida et des déconstructivistes américains. Ce n'est pas par hasard que ces derniers se réclament souvent du romantisme anglais et allemand.

Dans leur critique du langage, les romantiques s'opposent à la systématisation, à la hiérarchie et à la domination du *plan du contenu* (du *signifié*). Ils privilégient le fragment, le *plan de l'expression* et la *figure* : « Le fragment s'avère ainsi constituer l'écriture la plus "mimologique" de l'organicité individuelle », expliquent Philippe Lacoue-Labarthe et Jean-

[16] Lacoue-Labarthe Ph., Nancy J.-L., *L'absolu littéraire. Théorie de la littérature du romantisme allemand*, Paris, Seuil, 1978, p. 51.
[17] *Ibid.*, p. 95.
[18] Schlegel F., *Über die Unverständlichkeit*, *op. cit.*, p. 366.

Luc Nancy[19]. La pensée fragmentaire, inachevée des romantiques nie l'idée rationaliste et hégélienne que toute réalité peut être rendue transparente par des concepts univoques. Bien avant les partisans de la déconstruction, elle insiste sur la productivité indomptable de la langue qui semble résider – paradoxalement – dans ses clairs-obscurs, donc aussi dans son opacité.

Schlegel apparaît comme un précurseur de la déconstruction lorsqu'il se demande, non sans un clin d'œil ironique, « si l'incompréhensibilité est vraiment un mal méprisable » : « Aber ist denn die Unverständlichkeit etwas so durchaus Verwerfliches und Schlechtes ? »[20] A cette question rhétorique il répond (on pouvait s'y attendre) que la survie de l'humanité dépend de l'obscurité relative dans laquelle nous vivons : « En effet, vous seriez épouvantés si l'univers tout entier devenait vraiment compréhensible, comme vous l'exigez. »[21]

Bien que la théorie de Jacques Derrida ne puisse être considérée comme une apologie systématique de l'obscurité, on verra que le romantisme de Schlegel anticipe, au moins à certains égards, sur les discours de la déconstruction. Sa modernité et son actualité consistent à avoir mis le doigt sur la difficulté principale de la philosophie et de la science : la tentation – rationaliste et hégélienne – de nier les limites de la connaissance et d'identifier un sujet dominateur avec un objet dominé. Dans certains cas, la pensée romantique est un retour à Kant (qui a exercé une forte influence sur F. Schlegel) : à son idée que la connaissance du sujet est limitée et que la « chose en soi » est insaisissable. Pourtant, les romantiques vont bien plus loin que Kant en exaltant l'opacité du langage et en préconisant l'abolition des frontières génériques (« Mischung aller Dichtarten », F. Schlegel), ainsi que la fusion de

[19] Lacoue-Labarthe Ph., Nancy J.-L., *L'absolu littéraire*, *op. cit.*, p. 65.
[20] Schlegel F., *Über die Unverständlichkeit*, *op. cit.*, p. 370.
[21] *Ibid.*

la science avec l'art : « Toute la nature et toute la science devront devenir art. »[22] Avec cette exigence ils annoncent le programme déconstructeur de Derrida qui refuse de reconnaître la distinction ou l'opposition entre littérature et théorie.

Malgré toutes ces affinités le romantisme n'est pas une déconstruction avant la lettre : son culte du sujet libre, du génie et de l'intériorité est incompatible avec la déconstruction de ces concepts « métaphysiques » chez Derrida. En cultivant ces concepts, les romantiques s'insèrent dans la lignée Kant-Hegel-Fichte et continuent à développer l'idéalisme allemand. Même leur exaltation de la Nature, de l'Art et de la Poésie qui les distingue des rationalistes et de Hegel fait partie d'un idéalisme métaphysique étranger à la déconstruction qui met l'accent sur l'écriture multiforme sans faire attention aux hiérarchies institutionnalisées (comme *poésie-prose*, etc.).

Néanmoins, leur critique du rationalisme et de la dialectique systématique de Hegel contient des idées que l'on retrouve chez Derrida et les Américains : le refus de la domination conceptuelle liée à la domination du sujet métaphysique ; leur scepticisme à l'égard de la transparence du mot et leur découverte de l'opacité de la langue ; enfin leur pensée fragmentaire et essayiste qui cherche à amalgamer littérature et théorie. Cette pensée ne rejette pas le chaos comme celle des rationalistes, mais l'accepte comme faisant partie d'elle-même : « La tâche proprement romantique – poïétique – n'est pas de dissiper ou résorber le chaos, mais bien de le construire ou de faire *œuvre* de désorganisation. »[23] C'est en cela qu'elle s'apparente à la déconstruction qui ne cherche pas à dominer le chaos babylonien de la langue, mais à le rendre éloquent.

[22] Schlegel F., dans R. Belgardt, *Romantische Poesie. Begriff und Bedeutung bei Friedrich Schlegel*, La Haye-Paris, Mouton, 1969, p. 24.

[23] Lacoue-Labarthe Ph., Nancy J.-L., *L'absolu littéraire*, *op. cit.*, p. 73.

3. *Les « jeunes hégéliens » : dialectique et esthétique de la modernité*

Dans certains cas, des jeunes hégéliens comme Max Stirner (1806-1856), Ludwig Feuerbach (1804-1872) ou Friedrich Theodor Vischer (1807-1887) adoptent une attitude critique à l'égard du système hégélien et du rationalisme qui rapelle celle des romantiques. A l'instar des frères Schlegel et de Schelling, certains d'entre eux insistent sur l'ambiguïté ou l'ambivalence de tous les phénomènes et refusent de reconnaître dans le système hégélien une synthèse valable entre le sujet et l'objet, entre l'Esprit et la réalité. Un jeune hégélien comme Vischer s'apparente aux romantiques en mettant l'accent sur l'importance du rêve (toujours négligé par Hegel), le rôle du hasard et l'autonomie de l'objet. Malgré leur critique de la religion et leur matérialisme (Feuerbach, Marx), leur engagement politique (Ruge) et leurs penchants anarchiques (Stirner), les jeunes hégéliens s'avèrent être les complices des romantiques lorsqu'il s'agit de saper les fondements du système hégélien. C'est en cela qu'ils anticipent sur certains aspects de la déconstruction derridienne.

A la différence des romantiques, ils n'ont pas exercé une influence directe sur Derrida et la déconstruction : c'est plutôt leur modernité antisystématique et antihégélienne qui annonce la *problématique* de la déconstruction. Située à un niveau suffisamment général, cette problématique apparaît comme étant celle de toute la pensée moderne : qu'elle soit néo-marxiste, nietzschéenne, psychanalytique, systématisante ou déconstructrice. Habermas remarque dans son ouvrage sur *Le discours philosophique de la modernité* : « Même aujourd'hui nous persistons dans la conscience que les jeunes hégéliens ont fait naître en prenant leurs distances avec Hegel et la philosophie en général. (...) Hegel a inauguré le discours de la modernité ; mais ce sont les jeunes hégéliens qui l'ont installé dans la durée. »[24] Cette thèse est corroborée par l'excellente étude de W. Essbach sur les jeunes hégéliens en Prusse, une étude sociologique qui montre, entre autres, à quel point les disciples radicaux de Hegel ont contribué à façonner des notions modernes comme « engagement », « parti politique » ou « individualisme »[25].

Pourtant, leur modernité – qui est aussi celle des jeunes hégéliens Marx et Engels – ne saurait être limitée au domaine socio-politique. Les philosophies post-hégéliennes mettent en pratique une dialectique matérialiste dont le caractère révolutionnaire et ouvert a été commenté par Ernst Bloch[26]. Leur critique du système en tant que totalité close a rendu possibles non seulement la *dialectique négative* préconisée par Adorno[27], mais aussi la critique déconstructrice de Derrida.

Dans un ouvrage d'avant-garde sur Hegel et Jean Genet qui porte le titre significatif *Glas. Que reste-t-il du savoir absolu* ? (1974), Derrida montre à quel point il s'insère dans la lignée des penseurs jeunes hégéliens : comme eux, il part d'une critique de la religion pour révélér les liens entre celle-ci et la philosophie idéaliste ; comme eux, il s'en prend au logocentrisme hégélien qu'il relie à la domination monothéiste: « La dialectique hegelienne, mère de la critique, est d'abord, comme toute mère, une fille : du christianisme(...). »[28] A propos de l'*Aufhebung* hégélienne, il écrit : « Dieu, s'il est Dieu, si on pense ce qu'on dit quand on le nomme, ne peut plus être un exemple de l'*Aufhebung*. Il est

[24] Habermas J., *Le discours philosophique de la modernité*, trad. Ch. Bouchindhomme, R. Rochlitz, Paris, Gallimard, 1985, p. 64.

[25] Cf. Essbach W., *Die Junghegelianer. Soziologie einer Intellektuellengruppe*, Munich, W. Fink, 1988, p. 157-183.

[26] Cf. Bloch E., *Über Methode und System bei Hegel*, Francfort, Suhrkamp, 1970, p. 70-89.

[27] Cf. Adorno T.W., *Dialectique négative*, Paris, Payot, 1975.

[28] Derrida J., *Glas. Que reste-t-il du savoir absolu* ?, t. 2, Paris, Denoël-Gonthier, 1981, p. 282.

l'*Aufhebung* infinie, exemplaire, infiniment haute. »[29] Autrement dit : la constitution du système hégélien par la dialectique de l'*Aufhebung* (la négation de la négation comme synthèse, comme positivité constructrice) n'est possible que dans et par le monothéisme (le paternalisme) de la religion chrétienne qui apparaît comme la clef de voûte du logocentrisme, de la domination conceptuelle.

Derrida développe la critique post-hégélienne lorsqu'il s'en prend – dans *Glas* et ailleurs – à la thèse de Hegel selon laquelle le savoir absolu implique une identité sans faille entre sujet et objet. Comme certains parmi les jeunes hégéliens – Stirner et Vischer, par exemple –, Derrida s'efforce de montrer que l'objet ambivalent et contradictoire tend à se soustraire à toutes les tentatives idéalistes pour le *définir* (*dé-limiter*) au niveau conceptuel et le soumettre à la volonté d'un Sujet dominateur. Dans le second chapitre, on verra à quel point il considère non seulement le texte parlé ou écrit, mais toute la réalité comme quelque chose qui résiste à la définition conceptuelle, univoque. A cet égard, il s'apparente au jeune hégélien Vischer qui insiste sur l'autonomie de l'objet et sur sa tendance à se soustraire à la domination subjective. Dans son roman satirique *Auch Einer* (1879), il met en scène ce qu'il appelle « la malice de l'objet », une découverte comique qui a l'air de faire concurrence à la « ruse de la raison » solennellement consacrée par Hegel.

Dans ce contexte, on ne s'étonnera guère d'entendre Vischer insister sur d'autres aspects de la modernité et reprocher à Hegel de les avoir systématiquement négligés. La malice de l'objet, par exemple, est souvent due au hasard grâce auquel l'objet peut échapper à l'organisation subjective régulièrement mise en désarroi par les hasards (significatifs ou non) du rêve. Or Vischer critique Hegel pour avoir cherché à intégrer le

[29] *Ibid.*, t.1, p. 41.

hasard à la nécessité (régie par l'Esprit), pour avoir relégué le rêve aux échelons de la banalité quotidienne. Dans un compte rendu consacré à un livre du philosophe Johann Volkelt (1848-1930)[30], il accuse la philosophie systématique d'aspirer à une dissolution de la nature dans l'esprit et d'exclure le hasard et le rêve de sa combinatoire. Ce n'est pas par hasard qu'il se réclame de Schelling et du romantisme en essayant de revaloriser la nature, l'objet, le hasard et le rêve.

Or ces quatre éléments privilégiés par Vischer jouent un rôle central chez Derrida qui ne s'intéresse pas seulement à la psychanalyse en tant que « méthode analytique », mais cherche à mettre en relief la présence du hasard et du rêve *dans* les discours de Freud et Lacan : « Le mot de transfert rappelle à l'unité de son réseau métaphorique, précisément, la métaphore et le transfert (*Übertragung*), réseau de correspondances, de connexions, d'aiguillages (...). »[31]

Un autre élément par lequel Derrida et ses disciples américains s'apparentent aux jeunes hégéliens est la valorisation du domaine esthétique qu'ils défendent contre la conceptualisation de l'art. Bien qu'ils ne s'intéressent guère aux rapports hiérarchiques entre l'art et la religion, ils liraient avec sympathie ce que Max Stirner remarque à ce sujet : « C'est ainsi que l'art est le créateur de la religion et dans un système philosophique comme celui de Hegel il ne devrait pas être placé *derrière* la religion. »[32] Vischer confirme cette tendance à reconsidérer le rôle de l'art lorsqu'il souligne, dans ses écrits de maturité, le caractère non conceptuel de l'œuvre

[30] Vischer F. T., Der Traum. Eine Studie zu der Schrift : Die Traumphantasie von Dr. Johann Volkelt, dans F. T. Vischer, *Kritische Gänge*, t.4, Munich, Meyer & Jessen, 1922, p. 482.

[31] Derrida J., *La carte postale de Socrate à Freud et au-delà*, Paris, Flammarion, 1980, p. 409.

[32] Stirner M., Kunst und Religion, dans M. Stirner, *Kleinere Schriften und seine Entgegnungen auf die Kritik seines Werkes « Der Einzige und sein Eigentum »*, Stuttgart, Frommann-Holzboog, 1976, p. 264.

artistique[33]. Parfois il va encore plus loin que Stirner en révisant le schéma historique de l'esthétique hégélienne (Antiquité orientale : art symbolique – Antiquité gréco-romaine : art classique – époque chrétienne-romantique) pour pouvoir tenir compte de « la grande crise qui sépare les temps modernes du moyen âge »[34] et pour pouvoir annoncer un art moderne.

Derrida renoue avec les arguments des jeunes hégéliens et de Nietzsche en s'orientant vers l'écriture figurative de la littérature et en refusant de soumettre l'art à un logocentrisme quelconque : psychanalytique, marxiste ou structuraliste. Contre Hegel et les rationalistes, il insiste sur l'impossibilité de fonder un métalangage philosophique ou scientifique capable de rendre compte de phénomènes esthétiques ou autres. Comme les déconstructivistes de Yale, il cherche à bouleverser toute hiérarchie linguistique ou discursive.

Dans *Glas* et dans des publications plus récentes – p. ex. dans *Du droit à la philosophie* (1990) –, Derrida développe d'autres tendances de la pensée jeune hégélienne. Il a l'air de suivre les pulsions anarchiques de Stirner en cherchant à déconstruire les hiérarchies de l'enseignement philosophique ; il semble vouloir renouveler l'engagement politique de Ruge et Feuerbach – voire de Marx – en plaidant pour une radicalisation (« déconstructrice ») de la démocratie : « La déconstruction devrait ne pas être séparable de cette problématique politico-institutionnelle (...). »[35] On verra pourtant – dans le dernier chapitre – que ce radicalisme reste plutôt verbal, dans la mesure où il n'atteint pas le degré de politisation et le niveau d'analyse socio-économique auxquels arrivent les écrits de certains jeunes hégéliens, de Marx et d'Engels.

[33] Cf. Vischer F. T., *Das Schöne und die Kunst. Zur Einführung in die Ästhetik*, Stuttgart, Cotta, 1989 (2e éd.), p. 77.

[34] Vischer F. T., Plan zu einer neuen Gliederung der Ästhetik, dans F. T. Vischer, *Kritische Gänge*, t. 4, *op. cit.*, p. 175.

[35] Derrida J., *Du droit à la philosophie*, Paris, Galilée, 1990, p. 424.

Globalement, la déconstruction pourrait être qualifiée de « jeune hégélienne » dans la mesure où les théories de ses représentants font la navette entre le système hégélien – qu'elles critiquent – et la philosophie nietzschéenne qu'elles tendent à suivre, à imiter. A cet égard, la prise de position de Geoffrey H. Hartman est particulièrement caractéristique. A propos de la pensée de Derrida, le critique américain constate qu'elle prend deux directions : « L'une est le passé qui commence avec Hegel qui continue à demeurer parmi nous ; l'autre est l'avenir, qui commence avec Nietzsche qui séjourne de nouveau parmi nous, étant donné qu'il a été découvert par la nouvelle pensée française. »[36] Se tourner vers l'avenir signifie donc s'orienter vers la philosophie nietzschéenne qui est un aboutissement de la critique des jeunes hégéliens.

4. Nietzsche : ambivalence, dialectique et rhétorique

Karl Löwith postule une parenté philosophique entre Nietzsche (1844-1900) et des jeunes hégéliens comme Stirner, Ruge et Feuerbach : car Nietzsche connaissait bien l'ouvrage anarchiste de Stirner *L'unique et sa propriété* (1845), reprit à son compte la critique de la religion formulée par Feuerbach, Bruno Bauer *et al.* et s'inspira – après Marx – du matérialisme de Feuerbach. A l'instar des jeunes hégéliens, il s'en prit à l'idéalisme métaphysique qui avait atteint son apogée dans le système de Hegel. Comme Marx, il mit en cause le fondement de cet idéalisme : le monothéisme chrétien. Löwith a donc raison lorsqu'il remarque que « le chemin qui mène de Hegel à Nietzsche en passant par les

[36] Hartman G. H., *Saving the Text. Literature/Derrida/Philosophy*, Baltimore-Londres, Johns Hopkins Univ. Press, 1981, p. 28.

jeunes hégéliens pourrait être marqué le plus clairement par l'idée de la mort de Dieu »[37].

Sa mort est en même temps la mort d'une dialectique qui, d'*Aufhebung* en *Aufhebung*, aboutit au savoir absolu et à la clôture du système. A la différence de Hegel, Nietzsche conçoit une dialectique qui prend comme point de départ une ambivalence radicale, c'est-à-dire l'unité des contraires indépassable qu'il est impossible de dompter par une *Aufhebung* quelconque et d'intégrer au système. Dans sa critique de la métaphysique, il inaugure une dialectique ouverte qui exclut le dépassement hégélien en s'arrêtant au constat de l'ambivalence : « La croyance fondamentale des métaphysiciens c'est *la croyance aux oppositions des valeurs.* »[38] Pourtant, l'esprit libre mis en scène par Nietzsche ne saurait plus croire aux antinomies établies par la métaphysique d'antan ; il s'interroge sur la possibilité de transformer toutes les valeurs et d'éliminer l'antinomie sans la dépasser : « Et le bien ne serait-il pas le mal ? et Dieu une pure et simple invention, une astuce du diable ? Ne se peut-il pas au fond que tout soit faux en somme ? »[39] Devant ce genre de questions, la seule conclusion admissible semble être l'idée d'une ambiguïté foncière du monde : « *Vision d'ensemble* : le caractère *ambigu* de notre *monde moderne* – les mêmes symptômes peuvent indiquer *déchéance* et *vigueur*. »[40]

En adoptant un point de vue hégélien, on pourrait parler d'une « dialectique bloquée », d'une dialectique qui tourne à

[37] Löwith K., *Von Hegel zu Nietzsche. Der revolutionäre Bruch im Denken des neunzehnten Jahrhunderts*, Hambourg, F. Meiner, 1986 (9e éd.), p. 63.

[38] Nietzsche F., *Par-delà bien et mal*, trad. C. Heim, Paris, Gallimard, 1971, p. 22.

[39] Nietzsche F., *Humain, trop humain*, t.1, trad. R. Rovini, Paris, Gallimard, 1988, p. 24.

[40] Nietzsche F., *Aus dem Nachlaß der Achtzigerjahre*, dans F. Nietzsche, *Werke*, t. 6, Munich, Hanser, 1980, p. 624.

vide, étant incapable de dépasser l'antinomie dans une synthèse plus riche. Dans une perspective nietzschéenne, toute tentative de synthèse ou d'*Aufhebung* apparaît comme un tour de force conçu pour camoufler l'arbitraire : car l'idée que le Bien et le Mal soient inséparables – sur laquelle insiste Nietzsche – ne saurait engendrer aucune constellation « supérieure », aucun dépassement.

A cet égard, Nietzsche apparaît comme un précurseur de Jacques Derrida et Paul de Man qui mettent en relief le caractère ambivalent et aporétique des phénomènes linguistiques, philosophiques et littéraires. Ainsi Derrida présente comme intrinsèquement ambivalente et aporétique la tâche du traducteur : « YHWH exige et interdit à la fois, dans son geste déconstructeur, qu'on entende son nom propre dans la langue, il mande et rature la traduction, il voue à la traduction impossible et nécessaire. »[41]

Aucun dépassement de cette contradiction n'est concevable dans le contexte de la pensée post-nietzschéenne issue de la destruction du système bâti par Hegel. Toute la déconstruction franco-américaine pourrait être envisagée dans la perspective d'une ambivalence radicale qui aboutit à l'aporie. Ainsi les apories que Paul de Man trouve régulièrement dans des textes philosophiques et littéraires sont inséparables de l'idée que ces textes sont régis par une ambivalence ineffaçable. A propos de quelques écrits de Nietzsche qu'il commente dans *Allégories de la lecture*, de Man constate par exemple qu'on peut les lire « comme une glorification ou une dénonciation de la littérature »[42].

On verra dans le troisième chapitre que le sens trouvé par de Man ne s'impose pas toujours, qu'il est souvent une con-

[41] Derrida J., *La carte postale*, *op. cit.*, p. 179. (YHWH = Yahvé, nom de Dieu dans l'*Ancien testament*).

[42] De Man P., *Allégories de la lecture*, trad. T. Trezise, Paris, Galilée, 1989, p. 143.

struction arbitraire. Pourtant, sa lecture de Nietzsche témoigne de la problématique fondamentale de ce philosophe qui, en découvrant l'ambivalence radicale (l'unité des contraires sans dépassement), contribua à la destruction de la notion métaphysique de *vérité*.

A l'instar de Friedrich Schlegel qui se moque de la prétention des discours rationalistes et hégéliens d'énoncer le vrai, Nietzsche entreprend une décomposition systématique de ce concept métaphysique. Dans un texte polémique devenu célèbre, il s'interroge sur le caractère de la vérité et répond : « Une cohue grouillante de métaphores, métonymies, anthropomorphismes (...) », « Ein bewegliches Heer von Metaphern, Metonymien, Anthropomorphismen (...) »[43].

A cette déconstruction rhétorique (figurative) du concept de vérité correspond chez Nietzsche une critique radicale de la notion d'essence (récusée par Bataille, Barthes, Derrida et d'autres) : « Le mot "apparence" contient un grand nombre de séductions, ce qui explique pourquoi je l'évite : car il n'est pas vrai que l'essence des choses apparaît dans le monde empirique. »[44] Cette polémique contre la métaphysique de l'essence pourrait être lue comme une diatribe contre le système de Hegel qui cherche à révéler « l'essence derrière les apparences ». Qu'on pense à la définition hégélienne de la fonction esthétique qui consiste à dégager la vérité sous-jacente aux apparences : « C'est ainsi, encore une fois, que loin d'être, par rapport à la réalité courante, de simples apparences et illusions, les manifestations de l'art possèdent une réalité plus haute et une existence plus vraie. »[45]

Or Nietzsche opère une inversion hiérarchique entre l'apparence et l'essence : non seulement en révélant le caractère

[43] Nietzsche F., Über Wahrheit und Lüge im außermoralischen Sinne, dans F. Nietzsche, *Werke*, t. 5, *op. cit.*, p. 314.

[44] *Ibid.*, p. 317.

[45] Hegel G. W. F., *Introduction à l'esthétique*, *op. cit.*, p. 38-39.

figuratif (métaphorique, métonymique) du langage, mais en insistant aussi sur la primauté de l'apparence dans l'art qu'il définit « en tant que *bonne* volonté de l'illusion », « als den *guten* Willen zum Scheine »[46]. Comme les romantiques, mais avec des instruments théoriques plus précis, il sape les fondements de la domination conceptuelle en philosophie et en esthétique. A cet égard, il apparaît comme le principal précurseur de Derrida, de Man et Hartman qui, en mettant l'accent sur les aspects rhétoriques du langage, nient le concept de vérité et, avec celui-ci, la possibilité de définir les œuvres d'art sur le plan conceptuel : de dégager leurs contenus de vérité ou leurs structures profondes.

Dans ce contexte, la notion de « rhétorique » devrait être située au centre de la scène. C'est à juste titre que J. Goth nous rappelle dans *Nietzsche und die Rhetorik* (*Nietzsche et la rhétorique*) à quel point le philosophe allemand considérait la rhétorique avant tout comme un langage figuratif irréductible aux problèmes de l'éloquence et de la persuasion[47]. Paul de Man qui cite l'ouvrage de Goth a l'air de renouer avec cet argument en affirmant que pour Nietzsche le trope n'est pas une forme de langage parmi d'autres, « mais le paradigme linguistique par excellence »[48]. Pour Nietzsche, la pensée humaine, inséparable du langage et de ses particularités, est donc inextricablement liée à la *figure*, au *trope*. Elle est irrémédiablement « rhétorique », ce qui explique pourquoi l'inventeur du « gai savoir » définit la « vérité » comme une « cohue grouillante de métaphores » : à ses yeux, aucune rigueur conceptuelle ne saurait débarrasser la pensée des effets que produit le langage figuratif – souvent à notre insu. Il produit des glissements de sens involontaires, des polysémies qui passent inaperçues et des vérités métaphysiques qui re-

[46] Nietzsche F., *Le gai savoir*, Paris, Gallimard, coll. « Folio », 1950, p. 147.
[47] Cf. Goth J., *Nietzsche und die Rhetorik*, Tübingen, Niemeyer, 1970.
[48] De Man P., *Allégories de la lecture*, *op. cit.*, p. 138.

posent sur des distorsions ou des contradictions cachées. Considérée sous cet angle, toute la philosophie apparaît comme un vain effort d'autopurification, comme une tentative d'épurer le trope qui appartient pourtant à sa substance même.

Partant de cette conception rhétorique de la tradition philosophique, Nietzsche récuse l'idéal de la rigueur conceptuelle et s'oriente vers l'art : vers la musique, la littérature. C'est surtout la musique – qu'il tend à considérer comme le modèle de l'art tout court – qui lui apparaît dans *Le gai savoir* comme irréductible à la conceptualisation philosophique ou mathématique : « De quelle absurdité ne serait pas cette évaluation "scientifique" » (de la musique)[49] !

Cette orientation vers la musique, vers la *phoné* pure, orientation sous-jacente à l'ouvrage de jeunesse *La naissance de la tragédie dans l'esprit de la musique* (1872), va de pair avec une valorisation de la figure littéraire et du *plan de l'expression* (Hjelmslev). Loin de croire, comme Hegel, à la possibilité d'une explication conceptuelle de l'art et de la littérature, Nietzsche tend à inverser l'argumentation hégélienne et à reconnaître dans la poésie et le langage poétique des points de repère décisifs pour le philosophe : celui-ci devrait abandonner sa vaine recherche de la définition univoque et prendre part au jeu de significations auquel l'invitent l'art et la littérature. Ernst Behler nous rappelle le rôle du *jeu* dans la conception nietzschéenne du monde et dans la déconstruction du concept de vérité[50].

Dans le second chapitre, on verra que Derrida se réclame de Nietzsche en cherchant à substituer la notion de *jeu* aux concepts métaphysiques d'*Etre* et de *Vérité*. A la différence du philosophe métaphysique qui cherche à s'emparer du dernier *signifié* (du concept définitif) sur le *plan du contenu*,

[49] Nietzsche F., *Le gai savoir*, *op. cit.*, p. 343.

[50] Cf. Behler E., *Derrida-Nietzsche/Nietzsche-Derrida*, Paderborn, Schöningh, 1988, p. 86.

Nietzsche, Derrida et les critiques de Yale se lancent dans le jeu des *signifiants* polysémiques, déplaçant toute la problématique esthétique et littéraire sur le *plan de l'expression.* Comme Nietzsche, ils s'efforcent d'abattre les barrières institutionnelles qui séparent le domaine philosophique du littéraire pour atteindre la liberté du jeu textuel illimité, du jeu signifiant. On verra que c'est surtout Hartman qui, prenant comme point de départ le New Criticism anglo-américain, cherche à valoriser le rôle du critique et à le transformer en un auteur-écrivain de plein droit. Suivant Nietzsche, il refuse la distinction entre une « littérature primaire » (fictionnelle) et une « littérature critique secondaire » greffée, à l'instar du parasite, sur le « corps littéraire proprement dit ».

Il n'est guère légitime de considérer les représentants de la déconstruction comme des romantiques ou des successeurs des jeunes hégéliens sans trop simplifier les choses. Mais il est parfaitement possible de reconnaître en eux les héritiers de Nietzsche : d'un philosophe antisystématique qui fut le premier à contester systématiquement le logocentrisme et l'esprit sérieux de la métaphysique européenne.

5. De Heidegger à Derrida : critique de la métaphysique

La présence de la philosophie nietzschéenne dans l'œuvre de Martin Heidegger (1889-1976) pourrait faire l'objet d'un ouvrage volumineux. A la fin d'un chapitre il est tout au plus possible d'effleurer les problèmes philosophiques qui relient Nietzsche à Heidegger et celui-ci à Derrida. On pourrait parler, en citant Heidegger lui-même, de « l'affinité la plus intime »[51] entre Nietzsche et le philosophe de Fribourg. Mais en quoi consiste cette affinité ?

Elle se manifeste avant tout dans la critique que les deux penseurs adressent à la métaphysique occidentale : une critique qui sera plus tard reprise et radicalisée par Derrida, de Man et d'autres déconstructivistes. Dans un premier temps, Heidegger se réclame de Nietzsche en constatant que celui-ci fut le premier à révéler le fondement de la métaphysique : la « volonté de puissance » (« Wille zur Macht ») qui, selon Heidegger, présuppose la « volonté de volonté » (« Wille zum Willen »). La métaphysique s'achève dans le « savoir absolu » du système hégélien, « entendu comme esprit de la volonté »[52]. Pourtant, cet « esprit de la volonté » ignore son propre caractère dont l'essence est la domination du sujet sur l'objet, sur la nature : « La métaphysique, sous toutes ses formes et à toutes les étapes de son histoire, est une unique fatalité, mais peut-être aussi la fatalité nécessaire de l'occident et la condition de sa domination étendue à toute la terre. »[53] C'est grâce à Nietzsche que cette fatalité de la domination (technique et technologique) a pu être mise au jour, car il est le premier à établir un lien entre la pensée philosophique, religieuse et scientifique et la volonté de puissance, dont « l'éternel retour » (« ewige Wiederkehr ») témoigne du caractère foncièrement répétitif du principe de domination.

Malgré cette lucidité dont se réclame Heidegger, Nietzsche ne parvient pas à s'arracher à la métaphysique, car son renversement de l'idéalisme platonicien et son matérialisme inspiré de Feuerbach et de quelques philosophies positivistes du XIXe siècle, ne font que consolider l'ordre métaphysique :

[51] Cf. Taminiaux J., La présence de Nietzsche dans *Sein und Zeit*, dans *« Etre et temps » de Martin Heidegger*, *Sud*, mai 1989, p. 75.

[52] Heidegger M., Dépassement de la métaphysique, dans M. Heidegger, *Essais et conférences*, Paris, Gallimard, 1958, p. 86.

[53] *Ibid.*, p. 88.

« Le renversement du platonisme, renversement suivant lequel les choses sensibles deviennent pour Nietzsche le monde vrai et les choses suprasensibles le monde illusoire, reste entièrement à l'intérieur de la métaphysique. »[54]

A la différence de Nietzsche qui s'oriente vers le monde sensible, Heidegger propose un dépassement de la métaphysique au niveau ontologique : « Le dépassement de la métaphysique est pensé dans son rapport à l'histoire de l'être. »[55] Il s'agit de reconnaître dans « l'oubli de l'être » la distorsion fondamentale de la pensée occidentale.

Il va sans dire que Derrida, héritier de Nietzsche et des jeunes hégéliens, ne saurait adopter ce point de vue ontologique et idéaliste. On a pu remarquer que Heidegger parvient « à entamer sérieusement ce qu'il appellera plus tard le langage de la métaphysique »[56]. Pourtant, il ne s'agit pas d'une critique déconstructrice, mais d'une quête – tout à fait métaphysique – de la vérité authentique de l'Etre. « Sa "destruction" de la métaphysique », explique Christopher Norris, le représentant le plus important de la déconstruction anglaise, « ne vise pas, comme celle de Derrida, le dégagement d'une multitude de significations, mais le retour de la signification à son origine propre »[57]. Envisagée sous cet angle, l'ontologie heideggerienne apparaît plutôt comme située aux antipodes de la déconstruction de Derrida. Les deux auteurs sont toutefois d'accord pour considérer « le suprasensible en tant que volonté de puissance » (Heidegger) ; autrement dit, la métaphysique s'avère être une manifestation

[54] *Ibid.*, p. 91. Voir aussi : M. Heidegger, *Nietzsches Lehre vom Willen zur Macht als Erkenntnis,* dans M. Heidegger, *Gesamtausgabe* t.47, Francfort, Klostermann, 1989, p. 7-8.

[55] *Ibid.*, p. 90.

[56] Cometti J.-P., Situation herméneutique et ontologie fondamentale, dans *« Etre et temps » de Martin Heidegger, op. cit.*, p. 95.

[57] Norris Ch., *Deconstruction. Theory and Practice*, Londres-New York, Methuen, 1991 (2e éd.), p. 70.

de la « volonté de volonté » (Heidegger) et du principe de domination (sur l'objet, sur la nature). On verra que la critique adressée par Derrida au *logocentrisme* et *phallogocentrisme* est inextricablement liée à sa critique de la métaphysique influencée par Nietzsche et Heidegger : comme ces philosophes il voit dans l'idéalisme européen un instrument de domination. Le mot déconstruction dont il se sert s'inspire du projet heideggerien d'une « destruction de l'histoire de l'ontologie » (« Destruktion der Geschichte der Ontologie » : *Sein und Zeit*, § 6) qui ne vise pas un anéantissement, mais une décomposition analytique et une mise à jour.

A cet endroit il semble opportun de s'interroger sur le caractère de la critique heideggerienne de la métaphysique. Son point de départ et sa téléologie ontologique (qui vise l'*Etre*, das *Sein*) tendent à oblitérer le problème fondamental de la « volonté de volonté » et du principe de domination : les rapports dans un ordre social particulier marqué par l'exploitation de la nature et la répression politique. Ce problème a été analysé par Adorno et Horkheimer dans leur *Dialectique de la raison* (1947, trad. fr. 1974) où le principe de domination n'est pas limité à la société de marché (la critique de ces deux auteurs est applicable aux sociétés dites socialistes), mais toujours compris comme un phénomène économique, social et historique. En même temps, le rationalisme, le positivisme et le néopositivisme sont reliés à des situations historiques et politiques précises dans lesquelles ils articulent des *intérêts* sociaux *particuliers*. Le principe de domination – rationaliste, métaphysique ou autre – est donc inséparable de constellations socio-historiques et ne saurait être réduit à un problème ontologique de la *Seinsphilosophie* – elle-même un phénomène *social*. En passant sous silence toute la problématique économique, sociale et politique, en tenant son ontologie à l'écart des sciences sociales, Heidegger opère une mystification, jadis critiquée par Adorno[58].

Malgré les critiques qu'il adresse à Heidegger dans *Marges – de la philosophie* et ailleurs[59] (il constate que l'opposition heideggerienne de l'*originaire* et du *dérivé* est encore métaphysique), Derrida tend à séparer, comme Heidegger, la problématique philosophique et linguistique de celle des sciences sociales – considérées comme métaphysiques. On verra dans le second et surtout dans le quatrième chapitre que cette façon de présenter les choses l'empêche souvent de tenir compte du contexte social de la pensée et de reconnaître dans le langage (dans le discours comme structure sémantique et narrative) l'articulation d'intérêts collectifs. Cela ne signifie nullement qu'il faille rejeter ou ignorer sa critique du langage et on verra également à quel point celle-ci ressemble à la critique d'Adorno.

Comme Adorno, Derrida révèle les paradoxes et les apories du langage et de la communication : par exemple le fait que la traduction est à la fois nécessaire et impossible, que la métaphysique ne saurait être critiquée qu'à l'aide de concepts métaphysiques, etc. A cet égard, il est encore redevable à Heidegger qui fait dire au participant à un dialogue philosophique fictif : « La langue de notre entretien ne cesse, à mesure, de ruiner la possibilité de dire ce dont nous parlons. »[60]Cette phrase résume en quelque sorte toute la problématique linguistique d'Adorno et Derrida : le sentiment de ne pas pouvoir exprimer une pensée critique dans le cadre de formes discursives (communicatives) données. Cela explique

[58] Cf. Adorno T. W., *Jargon der Eigentlichkeit. Zur deutschen Ideologie*, Francfort, Suhrkamp, 1967.

[59] Cf. Derrida J., *Marges - de la philosophie*, Paris, Minuit, 1972, p. 33-78 et *De l'esprit. Heidegger et la question*, Paris, Galilée, 1987, p. 28.

[60] Heidegger M., D'un entretien de la parole, dans M. Heidegger, *Acheminement vers la parole*, Paris, Gallimard, 1976, p. 100.

pourquoi Adorno et Derrida ont sans cesse tenté de développer des formes discursives qui échappent aux schémas des langages institutionnalisés (voir chap. IV).

La critique heideggerienne de la métaphysique aboutit à une mise en question de l'esthétique. Dans un texte bref mais important, intitulé « Die "Metaphysik" und der Ursprung des Kunstwerks » (« La "Métaphysique" et l'origine de l'art »), Heidegger relie l'esthétique occidentale à la problématique métaphysique et plaide en faveur d'un dépassement de l'esthétique, liée à la « volonté de volonté », à la performance technique et à ce qu'il appelle le « Betrieb mit "der Kunst" » (« le trafic de "l'art" »)[61]. Dans son essai sur l'œuvre d'art *Der Ursprung des Kunstwerks* (*L'origine de l'œuvre d'art*), ainsi que dans ses écrits sur Hölderlin, il assigne à l'art le rôle non métaphysique et non esthétique de révéler l'*Etre* (das *Sein*) : « L'œuvre d'art ouvre à sa façon l'Etre de l'Etant.» (« Das Kunstwerk eröffnet auf seine Weise das Sein des Seienden. »[62])

L'attitude de Derrida envers l'art correspond à celle de Heidegger dans la mesure où il rejette, comme le philosophe allemand, les dichotomies métaphysiques de l'esthétique établie : les oppositions dominantes entre forme et contenu, technique et matière, etc. En même temps, l'auteur de la déconstruction prend le contre-pied de l'enseignement ontologique en considérant l'art non pas comme le gardien méconnu de l'Etre ou d'une autre vérité cachée, mais comme un jeu de signifiants inépuisable dont la multiplicité ne saurait être réduite par aucune recherche essentialiste. Dans le chapitre suivant, on verra comment Derrida aborde le caractère pluriel et « scriptible » (dirait Barthes) du texte littéraire.

[61] Heidegger M., Die «Metaphysik» und der Ursprung des Kunstwerks dans M. Heidegger, *Beiträge zur Philosophie* (*Vom Ereignis*), *Gesamtausgabe* t. 65, Francfort, Klostermann, 1989, p. 505.

[62] Heidegger M., *Der Ursprung des Kunstwerks*, Stuttgart, Reclam,1960,p. 37.

II

Derrida : déconstruction et critique littéraire

Il ne s'agit pas de réduire la philosophie de Jacques Derrida à la problématique de la critique littéraire ou de la présenter comme une « méthode » qu'elle a toujours refusé d'être. Il convient plutôt de rendre concrète une pensée qui a été trop souvent transformée en caricature[1], isolée de son contexte et livrée en proie à une incompréhension sanctionnée par des idéologies conformistes.

En suivant de près les arguments avancés par Derrida contre le structuralisme et la « speech acts theory » (théorie des actes de langage), on peut espérer sortir de l'abstraction et pouvoir critiquer la pratique et les présupposés théoriques de la déconstruction. On verra pourtant que cette critique aboutira parfois à une critique du structuralisme ou de la « speech acts theory » et à la confirmation de certains arguments invoqués par Derrida dans *Limited Inc.* (1977/90) et ailleurs. Loin d'apparaître comme un courant philosophique irrationnel et obscurantiste, la déconstruction se présentera plutôt comme une théorie qui met en question les préjugés d'un rationalisme trop bien implanté dans la conscience quotidienne.

Les commentaires aux analyses littéraires de Derrida montreront d'une part que toute tentative pour ramener le texte polysémique à une structure de concepts univoque est vouée d'emblée à l'échec ; ils révéleront d'autre part les limites auxquelles se heurtent la déconstruction et l'interprétation tout court : des limites imposées par les structures sémantiques et narratives du texte. La critique de la pratique derridienne

[1] Cf. p. ex. : Derrida derided, dans *The Economist*, 16 mai 1992.

reprendra et développera donc la problématique du premier chapitre : la *conceptualisation de l'art* (de la littérature).

Avant d'entamer ces problèmes sémiotiques et esthétiques il faut retourner à la critique de la métaphysique pratiquée par Derrida et montrer dans quelle mesure elle aboutit à une mise en cause radicale de la conception métaphysique ou ontothéologique du *langage*.

1. « Parole » et « écriture » : critique de la métaphysique, critique de Hegel

A la fin du chapitre précédent, il a déjà été question d'un désaccord fondamental entre Heidegger et Derrida. Malgré son affirmation que rien de ce qu'il a tenté « n'aurait été possible sans l'ouverture des questions heideggeriennes », Derrida insiste sur les résidus métaphysiques dans l'œuvre du philosophe allemand. Il reprend et développe ainsi la critique adressée par Heidegger à Nietzsche lorsqu'il explique que, malgré la parenté entre la déconstruction et l'ontologie de Heidegger, il « tente de reconnaître, dans le texte heideggerien (...), des signes d'appartenance à la métaphysique(...)»[2].

De quels signes s'agit-il ? Dans *Marges – de la philosophie*, Derrida précise sa critique en parlant de « la dominance, dans le discours de Heidegger, de toute une métaphorique de la proximité de la présence simple et immédiate (...) »[3]. Il s'agit, comme on pouvait s'y attendre, de la présence de l'Etre que l'auteur de *Sein und Zeit* recherche aussi bien dans ses analyses ontologiques que dans ses écrits sur Hölderlin, sur la littérature. A propos des poèmes de Hölderlin il évoque l'apparition de « l'Essence » (« Wesen ») et la proximité de

[2] Derrida J., *Positions*, Paris, Minuit, 1972, p. 18.
[3] Derrida J., *Marges - de la philosophie*, Paris, Minuit, 1972, p. 156.

« l'Origine » (« Nähe zum Ursprung »)[4] en insistant sur l'affinité entre la *poésie* (« Dichtung ») et l'*Etre* (« Sein »).

Dans le premier chapitre, on a pu constater une incompatibilité au moins partielle entre cette *Seinsphilosophie* et la déconstruction qui refuse de reconnaître toute « vérité de l'Etre », toute « vérité présente » dont la notion a été empruntée par Heidegger à l'ontologie de Husserl. Pourtant, le reproche décisif adressé par Derrida à Heidegger concerne le langage ou, plus concrètement, la métaphysique de la présence dans le domaine verbal. Dans un ouvrage consacré à la philosophie et à la position politique de Heidegger, il reproche au philosophe de Fribourg d'être l'auteur d'un discours dominé par le « logocentrisme » et le « phonocentrisme »[5]. Malgré l'importance qu'il attache à la différenciation heideggerienne entre l'*Etant* et l'*Etre* (*Seiendes* et *Sein*), entre la sphère ontique et la sphère ontologique (voir plus bas), Derrida n'hésite pas à rattacher la philosophie de l'*Etre* à la tradition métaphysique.

A présent, le logocentrisme, dont il a été question plus haut, peut être défini dans le cadre de la problématique linguistique, telle qu'elle est envisagée par Derrida et certains autres représentants de la déconstruction. Le *logocentrisme* ou *phonocentrisme*, en tant que principe fondamental de la métaphysique occidentale, est, à en croire Derrida, *la domination du langage parlé* : de la *parole* ou de la *phoné* qui est censée garantir la *présence du sens*. Car les principaux discours philosophiques – de Platon à Heidegger – tendent à privilégier la parole et à se méfier de l'*écriture*.

Dans une analyse du *Phèdre* de Platon, Derrida cherche à démontrer que le philosophe grec considère l'*écriture* (le texte écrit) comme une drogue dont les bénéfices lui semblent être douteux : « A peine plus loin, Socrate compare à une drogue

[4] Heidegger M., *Vorträge und Aufsätze*, Pfullingen, Neske, 1967, p. 70-71.

[5] Cf. Derrida J., La main de Heidegger (*Geschlecht II*), dans *Psyché. Inventions de l'autre*, Paris, Galilée, 1987.

(*pharmakon*) les textes écrits que Phèdre a apportés avec lui. »[6] Comme toute drogue, l'écriture combine certains avantages immédiats avec des conséquences néfastes : d'une part, elle offre des points de repère à notre mémoire ; d'autre part, elle peut contribuer à l'atrophie de cette faculté, dans la mesure où elle nous empêche de nous en servir régulièrement. Comme ses héritiers, comme tous les philosophes idéalistes, Platon finit par condamner l'écriture qu'il considère comme étrangère (voire hostile) à la vie. Etant donné qu'elle peut être lue et relue dans des contextes différents et changeants, elle est interprétable et instable. Loin de garantir la *présence de la vérité* – comme le fait la parole, la voix vive –, elle dépend de l'*opinion* versatile. A en croire Derrida, Platon pense que « l'écriture est essentiellement mauvaise, extérieure à la mémoire, productrice non de science mais d'opinion, non de vérité mais d'apparence »[7].

Notons que l'écriture n'est pas condamnée pour de simples raisons techniques (comme une aide inadéquate, par exemple) mais pour des raisons morales, psychiques et sociales : elle est nuisible parce qu'elle constitue une faiblesse fondamentale, à savoir l'instabilité du *sens*. Elle tend à mettre en cause la présence de la vérité qui ne saurait se manifester que par l'intervention de la *parole univoque*. Selon Derrida, les philosophes s'en tiennent – souvent inconsciemment et malgré leurs propres pratiques *littéraires* – à cette parole qu'ils associent à l'autorité et à la présence du sens. A leurs yeux, l'écriture a toujours été suspecte parce qu'elle est interprétable et tend à se soustraire à la définition univoque. C'est pourquoi elle doit être surveillée par le *Logos* que Derrida associe à l'autorité du philosophe métaphysique et à celle du Père : « Le père suspecte et surveille toujours l'écriture. »[8]

[6] Derrida J., *La dissémination*, Paris, Seuil, 1972, p. 78.
[7] *Ibid.*, p. 117.
[8] *Ibid.*, p. 86.

Retraçant les péripéties de la métaphysique occidentale, il montre à quel point les philosophes du XVIIIe siècle – Jean-Jacques Rousseau et Etienne Bonnot de Condillac, par exemple – ont contribué à consolider le logocentrisme platonicien. « Rousseau », lisons-nous dans la *Grammatologie*, « appartient donc (...) à la tradition qui détermine l'écriture littéraire à partir de la parole présente dans le récit ou dans le chant ; la littéralité littéraire serait un accessoire supplémentaire fixant ou figeant le poème, représentant la métaphore »[9]. Or, Derrida met en question les oppositions officielles (métaphysiques) entre le « principal » et le « supplémentaire », l'« originel » et le « dérivé », l' « ergon » et le « parergon », etc. Il finira par inverser le rapport établi entre parole et écriture en suggérant que, loin d'être un supplément comme l'affirme Rousseau en contredisant sa pratique textuelle, l'écriture en tant qu'*archi-écriture* est inhérente à tout acte de parole. Cela ne signifie nullement que Derrida présume l'antériorité historique de l'écriture ; il soutient plutôt que même la parole prétendument univoque subit les effets de la polysémie scripturale – malgré les mesures répressives du logocentrisme qui postule l'univocité conceptuelle (voir sect. 3).

Plus sévère que Rousseau, Condillac plaide en faveur d'une surveillance systématique et méthodique de l'écriture philosophique. A la différence des poètes et des orateurs qui auraient « de bonne heure senti l'utilité de la méthode », les philosophes se seraient abandonnés à la frivolité de l'écriture. Derrida commente le texte de Condillac en mettant l'accent sur le rapport entre frivolité et écriture : « La racine du mal est l'écriture. Le style frivole est le style – écrit. (...) Il suffit d'être méthodique pour n'être point frivole. »[10] Il faut donc un Père pour surveiller l'écriture philosophique, le style fri-

9 Derrida J., *De la grammatologie*, Paris, Minuit, 1967, p. 383.

10 Derrida J., *L'archéologie du frivole. Lire Condillac*, Paris, Denoël-Gonthier, 1973, p. 112-113.

vole. Ce Père est le logocentrisme ou le « phallogocentrisme » (logos + phallus) que Derrida retrouve chez des philosophes aussi différents que Hegel et Husserl.

Précurseur de Heidegger et défenseur du logo- et phonocentrisme, Husserl, le fondateur de la phénoménologie moderne, cherche à assurer systématiquement la présence du *sens*, du *vrai*. Derrida le compte parmi les principaux héritiers de la métaphysique européenne, parmi ceux qui tendent à radicaliser la domination du logos. Dans *La voix et le phénomène*, il résume la position de Husserl dans la tradition métaphysique : « Le privilège nécessaire de la *phoné* qui est impliqué par toute l'histoire de la métaphysique, Husserl le radicalisera en en exploitant toutes les ressources avec le plus grand raffinement critique. »[11]

Plus souvent que dans ses écrits sur Rousseau et Condillac, Derrida insiste, dans *La voix et le phénomène*, sur le lien étroit qui subsiste entre le principe de domination et le logocentrisme-phonocentrisme. Sur ce point, il renoue avec la critique heideggerienne de la métaphysique et de la « volonté de volonté » en tant que technocratie. A propos de Husserl il parle de « l'époque de la voix comme maîtrise *technique* de l'être-objet » et de « l'unité de la *technè* et de la *phonè* »[12]. En quoi exactement consiste cette maîtrise technique chez Husserl ? En une tentative systématique, dirait Derrrida, pour éliminer les « excès de sens » que produit l'expression (le signifiant saussurien) et sauvegarder « la couche de sens préexpressif », « la forme conceptuelle et universelle »[13]. Autrement dit, il s'agit de mener à terme le projet platonicien (métaphysique) d'isoler l'idée pure, non contaminée par les aléas de l'expression et d'assurer ainsi la *présence du sens*. Et pourtant, observe Derrida dans *L'écriture et la différence*, Husserl

[11] Derrida J., *La voix et le phénomène*, Paris, PUF, 1967, p. 15.
[12] *Ibid.*, p. 84.
[13] *Ibid.*, p. 83.

est finalement obligé de reconnaître l'autonomie du signifiant et de déconstruire son propre discours.

Bien qu'il considère l'ontologie heideggerienne comme une continuation de la métaphysique logocentriste, bien qu'il reproche au discours de la *Seinsphilosophie* ses métaphores de la « présence » et de la « parole présente » (« la valorisation du langage parlé est constante, massive chez Heidegger »[14]), Derrida se réclame de Heidegger pour mettre en question le *concept d'identité*. Il prend comme point de départ la problématique entamée par Heidegger dans deux textes publiés sous le titre *Identität und Differenz* (1957) où le philosophe allemand reproche à la métaphysique de ne pas avoir réfléchi sur sa propre position par rapport à la *différence entre l'Etant et l'Etre*. Ayant toujours traité l'Etre comme le fondement ou l'encadrement de l'Etant, la métaphysique s'avère incapable d'aller jusqu'au fond du problème qui réside dans la différence : car l'Etant et l'Etre dépendent l'un de l'autre et ne peuvent être *identifiés* hors de leur différence. Cette différence est conçue par Heidegger comme une négativité temporisée, comme « le différent de la différence », « das Differente aus der Differenz »[15], dont l'identité ne saurait être fixée par la métaphysique.

En développant ce raisonnement qui tend au négatif, à ce qui ne peut être identifié au niveau conceptuel, Derrida tente de caractériser la pensée de Heidegger en disant qu'elle ne vise pas un *autre chose* situé au-delà de la métaphysique, c'est-à-dire un autre centre : « Un autre centre serait un autre maintenant ; ce *déplacement* au contraire n'envisagerait pas une *absence*, c'est-à-dire une autre présence ; il ne *remplacerait* rien. »[16] Autrement dit, le discours de Heidegger vise le négatif, ce qui ne saurait être identifié par des concepts, ce qui

[14] Derrida J., *Marges - de la philosophie*, *op. cit.*, p. 159.
[15] Heidegger M., *Identität und Differenz*, Pfullingen, Neske, 1957, p. 64.
[16] Derrida J., *Marges - de la philosophie*, *op. cit.*, p. 41-42.

diffère sans cesse. C'est dans cette négativité heideggerienne que Derrida finira par installer des (non-)concepts comme « écriture », « différance » et « trace » (cf. sect. 3).

Un autre philosophe qui – malgré son logocentrisme – préfigure la négativité de la déconstruction, de la non-présence et de l'écriture est Hegel. Bien que sa philosophie appartienne au XIXe siècle, son importance pour la critique derridienne est commentée à la fin de cette section pour une raison précise : il s'agit d'une philosophie dont l'extrême idéalisme annonce le matérialisme jeune hégélien et dont le logocentrisme annonce, selon Derrida, la déconstruction, l'écriture.

Derrida cherche à démontrer à quel point Hegel valorise la *parole* qui garantit la présence du sens et à laquelle « il a dû subordonner l'écriture »[17]. Dans le premier chapitre, il a déjà été question de ce logocentrisme hégélien qui se manifeste dans le domaine esthétique où Hegel privilégie le concept, le *plan du contenu* (Hjelmslev), en négligeant le *plan de l'expression*, la pluralité des sens ou la polysémie. « Et pourtant, remarque Derrida, tout ce que Hegel a pensé dans cet horizon (...), peut être relu comme méditation de l'écriture. »[18]

Notons d'abord la diction « jeune hégélienne » de cette phrase : comme Feuerbach, comme Marx et Engels, qui discernent dans l'idéalisme achevé les contours de la théorie révolutionnaire de demain qui essaiera de pratiquer le dépassement de l'Etat *pensé* par Hegel [19], Derrida croit reconnaître dans l'extrême forme du logocentrisme son dépassement vers l'écriture, vers la déconstruction. Comment concevoir ce dépassement ? Peut-on imaginer un Hegel « déconstructeur » ?

Dans *La dissémination*, Derrrida cite de nombreux textes pour montrer à quel point le savoir total ou absolu que cher-

[17] Derrida J., *De la grammatologie, op. cit.*, p. 39.

[18] *Ibid.*, p. 41.

[19] Cf. par ex. Lefebvre J.-P., Macherey P., *Hegel et la société*, Paris, PUF, 1984, p. 85-86.

che à établir le philosophe allemand résiste à la présence du concept, de la parole univoque. Il insiste sur l'idée hégélienne que la pensée dialectique qui vise la totalité ne saurait être résumée de manière abstraite dans une *préface*. A propos de la logique dialectique, Hegel écrit : « Aussi ne peut-elle [la Logique] dire à l'avance (*voraussagen*) ce qu'elle est mais c'est seulement son traitement total (*ihre ganze Abhandlung*) qui produit ce savoir de soi-même comme son terme (*ihr Letztes*) et comme son accomplissement (*Vollendung*). »[20]

Et si l'accomplissement s'avérait être une chimère du logocentrisme ? demande Derrida. En même temps, il met en doute – avec Nietzsche et les jeunes hégéliens – les synthèses hégéliennes qui mènent à la clôture du système et qui sont rendues possibles par le concept d'*Aufhebung*. Dans *Glas*, il cherche à montrer à quel point l'*Aufhebung* est un tour de force issu du principe de domination : « L'*Aufhebung* est donc aussi une contre-poussée répressive (...). »[21] Au niveau sémiotique elle fonctionne comme une idéalisation métaphysique : « Le concept relève le signe qui relève la chose. »[22]

Il faut donc cesser de penser l'unité des contraires comme *relève* ou *synthèse* et redécouvrir la négativité de la dialectique hégélienne : car en allemand *Aufhebung* ne signifie pas seulement « relève » mais aussi « annulation » (une décision est annulée : *ein Beschluß wird aufgehoben*). Ayant révélé cette *ambivalence* du concept central de la dialectique hégélienne, Derrida peut tenter de déduire son anticoncept de *différance* de la négativité déconstructrice de cette dialectique. Car il est parfaitement possible de penser l'unité des contraires sans synthèse, sans *Aufhebung* : comme une *ambivalence radicale*, comme une *aporie*. Dans ce contexte, Derrida

[20] Hegel G. W. F., *Science de la logique*, cité d'après J. Derrida, *La dissémination, op. cit.*, p. 25.

[21] Derrida J., *Glas*, t. I, Paris, Denoël-Gonthier, 1981, p. 36.

[22] *Ibid.*, p. 11.

peut caractériser la déconstruction comme aporie : « cette singulière aporie qu'on appelle déconstruction »[23].

On verra plus loin dans ce chapitre et dans le chapitre suivant que Derrida et les Américains cherchent systématiquement à révéler la négativité du texte philosophique, littéraire ou autre : ses ambivalences, ses apories, ses polysémies – tout ce qui échappe à la conceptualisation ou à la définition univoque.

2. Derrida nietzschéen : écriture

Dans le premier chapitre, on a pu constater que Nietzsche est à la fois le penseur de l'ambivalence radicale et de l'écriture. A la différence de Heidegger qui tend à ramener toute la philosophie de Nietzsche au principe de la « volonté de puissance », Derrida met en valeur les ambivalences et les antinomies du texte nietzschéen. En même temps, il oriente sa déconstruction vers l'expérience ludique et indéfinissable de ce texte qui annonce la libération d'une écriture délivrée de l'autorité de la parole et de sa « vérité présente ». Dans *L'écriture et la différence*, il se réclame de Nietzsche qui aurait substitué la notion de jeu aux concepts métaphysiques d'*Etre* et de *Vérité* : « Il faudrait sans doute citer la critique nietzschéenne de la métaphysique, des concepts d'être et de vérité auxquels sont substitués les concepts de jeu, d'interprétation et de signe (de signe sans vérité présente) (...). »[24]

La problématique de l'ambivalence apparaît clairement dans son ouvrage *Eperons. Les styles de Nietzsche* qui pourrait être lu comme un commentaire déconstructeur à la dialectique hégélienne, voire comme une parodie de cette dialectique.

[23] Derrida J., *Mémoires - pour Paul de Man*, Paris, Galilée, 1988, p. 133.
[24] Derrida J., *L'écriture et la différence*, Paris, Seuil, 1967, p. 412.

Selon Derrida, le discours de Nietzsche combine sans cesse thèse et antithèse sans qu'il soit possible d'opérer une synthèse, une *Aufhebung* quelconque. Nietzsche condamne la femme tantôt comme « puissance de mensonge », tantôt comme « puissance de vérité » (comme être philosophique et chrétien) ; enfin, « la femme est reconnue, au-delà de cette double négation, affirmée comme puissance affirmative, dissimulatrice, artiste, dionysiaque »[25]. Faut-il en conclure que nous sommes en présence d'une synthèse hégélienne, d'une tentative de systématisation ? Derrida répond : « Pour que ces trois types d'énoncé forment un code exhaustif, pour qu'on tente d'en reconstituer l'unité systématique, il faudrait que l'hétérogénéité parodique du style, des styles, soit maîtrisable, et réductible au contenu d'une thèse. »[26] Or, une telle réduction s'avère être impossible dès qu'on tient compte de tous les excès de sens du texte nietzschéen. Il faut reconnaître que ce texte est hétérogène et que son hétérogénéité n'est pas nécessairement voulue par l'auteur (donc imputable à son « génie » qui fait partie du culte de Nietzsche).

Son hétérogénéité devrait plutôt être considérée comme le symptôme d'une dialectique négative qui admet bien l'unité des contraires, mais qui substitue à l'*Aufhebung* hégélienne l'ambivalence indépassable, empêchant ainsi toute construction de système. Jacques Derrida développe cette conception nietzschéenne de l'ambivalence lorsqu'il constate que Kant définit le beau comme étant à la fois « *sans* concept et *avec* concept » (cf. chap. I, 1), lorsqu'il postule que la traduction est en même temps « nécessaire et impossible » (cf. chap. I, 4) et que la philosophie hégélienne annonce l'avènement de l'écriture – malgré toutes les tentatives de Hegel pour affirmer l'autorité de la parole.

[25] Derrida J., *Eperons. Les styles de Nietzsche*, Paris, Flammarion, 1978, p. 79.
[26] *Ibid.*

Ainsi Derrida peut écrire, dans un autre livre sur Nietzsche, que « l'avenir du texte-Nietzsche n'est pas clos »[27] : car les ambivalences et les polysémies de ce texte le rendent « scriptible » (Barthes), susceptible d'être réécrit et réinterprété dans des contextes nouveaux. Derrida ajoute : « Puis les effets ou la structure d'un texte ne se réduisent pas à sa "vérité", au vouloir dire de son auteur présumé, voire à celui d'un signataire prétendument unique et identifiable. »[28] A cet endroit on peut constater que la mise en doute de l'unité, de l'univocité textuelle entraîne une déconstruction de la notion de *sujet* considérée comme métaphysique par Derrida qui affirme que le sujet est contradictoire et multiple comme le texte[29]. Les antinomies d'un texte rendent illusoire toute recherche d'une intention homogène d'auteur.

Pourtant, le caractère polysémique et « scriptible » du texte nietzschéen signifie également que son interprétation par Derrida est contingente. Aussi doit-il la défendre contre la critique heideggerienne (cf. I, 5) : « Nietzsche, loin de rester *simplement* (avec Hegel et comme le voudrait Heidegger) *dans* la métaphysique, aurait puissamment contribué à libérer le signifiant de sa dépendance ou de sa dérivation par rapport au logos et au concept connexe de vérité ou de signifié premier, en quelque sens qu'on l'entende. »[30] Cette défense de Nietzsche montre que l'évolution de la métaphysique est interprétable (dans le cadre de récits concurrents) et que la lecture du texte nietzschéen par Derrida s'oriente de manière téléologique vers la libération du signifiant et de l'écriture.

[27] Derrida J., *Otobiographies. L'enseignement de Nietzsche et la politique du nom propre*, Paris, Galilée, 1984, p. 98.

[28] *Ibid.*, p. 93-94.

[29] Cf. Coward R., Ellis J., *Language and Materialism. Developments in Semiology and the Theory of the Subject*, Londres, RKP, 1977, p. 122-126 : sur Derrida et la notion de sujet.

[30] Derrida J., *De la grammatologie*, *op. cit.*, p. 31-32.

A propos de cette écriture Sarah Kofman remarque qu'elle est foncièrement ambivalente, étant donné qu'elle se situe au-delà des distinctions institutionnalisées : « L'écriture est d'un genre indécidable, bisexuée, antérieure à la distinction du *masculin* et du *féminin*. Comme le Dionysos nietzschéen. »[31] Ce commentaire révèle le rapport étroit entre l'ambivalence nietzschéenne et la conception derridienne de l'écriture : celle-ci se soustrait à l'autorité de la parole univoque située à l'intérieur des oppositions non dialectiques comme *signifiant/signifié, originel/dérivé, principal/supplémentaire,* etc. Pour Derrida, comme pour Nietzsche, il s'agit de miner ces oppositions. On pourrait toutefois se demander si Derrida ne fait pas ressusciter la tradition métaphysique en établissant de nouvelles oppositions sémantiques hiérarchisées comme *parole/écriture, logocentrisme/déconstruction* (cf. II, 3).

Un autre aspect important de l'écriture est son orientation rhétorique vers les tropes, vers la métaphore. Dans son célèbre texte sur la *Vérité* (cf. I, 4), Nietzsche inaugure la « déconstruction » de la notion de vérité en la décomposant en une « cohue grouillante de métaphores ». Derrida reprend cette idée nietzschéenne en représentant toute la philosophie comme un procès de métaphorisation et en suggérant qu'il est impossible de penser hors de la métaphore, de la rhétorique. La métaphore ne se laisse pas définir ou dompter par le concept qu'elle a elle-même fait naître : « Elle ne se laisse pas dominer par ce qu'elle a elle-même engendré (...). »[32] Le concept de « méta-phore » (*meta-forein* = transposer) est lui-même métaphorique. Ainsi l'opposition métaphysique entre le concept et la métaphore est déjouée, déconstruite par Derrida : il développe une écriture « rhétorique » qui remplace les con-

[31] Kofman S., *Lectures de Derrida*, Paris, Galilée, 1984, p. 65.
[32] Derrida J., *Marges - de la philosophie, op. cit.*, p. 261.

cepts « métaphysiques » par des figures comme « trace » ou « dissémination » (cf. II, 4).

C'est une écriture aconceptuelle, sinon anticonceptuelle qui cherche à renverser toutes les hiérarchies établies par le *logos* philosophique en franchissant la frontière entre philosophie et littérature. Il est juste d'insister sur l'héritage nietzschéen de Derrida qui se manifeste aussi dans la parodie, l'aphorisme et le fragment : « La poétique nietzschéenne de l'écriture, poétique du détournement et de la parodie, de l'aphorisme et du fragment (...), cette politique hypercon-sciente et hypercalculée de dureté envers la langue, Derrida la fait sienne, sans en assumer du tout les motifs nietzschéens, sans adhérer le moins du monde à la thèse fondamentale de Nietzsche. »[33] Quels sont les motifs, quelle est la « thèse fondamentale de Nietzsche » ? C'est la « volonté de puissance artistique » que Derrida refuse d'accepter parce qu'il reconnaît en elle le principe de base de la métaphysique critiquée par Heidegger. Pour sortir de cette métaphysique, il emprunte la voie de l'écriture balisée par Nietzsche.

Dans le passé, la critique de la métaphysique par Derrida fut elle-même critiquée comme une rhétorique du dépassement qui cède à la contrainte moderne ou postmoderne d'aller au-delà du platonisme et de prendre ses distances avec l'absolutisme hégélien. Ainsi Richard Rorty parle à propos de Derrida de « cette volonté passablement grotesque d'être toujours un peu plus non platonicien » et ajoute : « La seule différence consisterait peut-être en ceci que chacun s'efforce désormais de s'éloigner le plus possible de la connaissance absolue et de la clôture philosophique au lieu de s'en approcher toujours davantage. »[34]

[33] Haar M., Le jeu de Nietzsche dans Derrida, *Revue philosophique*, n°. 2, Paris, PUF, 1990, p. 215.

[34] Rorty R., *Science et solidarité. La vérité sans le pouvoir*, trad. J.-P. Cometti, Combas, Ed. de l'Eclat, 1990, p. 99.

Cette façon de présenter les choses est amusante, mais elle néglige le fait que le *jeu* nietzschéen de la déconstruction n'est pas tout simplement un jeu de mots et de tropes, mais un *jeu contre* le principe de domination et de répression au niveau linguistique, discursif : donc une critique. Rorty n'a pas l'air de s'apercevoir de cet aspect critique de la déconstruction qui relie celle-ci aux écrits de maturité d'Adorno. Il ne s'en aperçoit pas parce qu'il néglige la question de la domination du sujet sur l'objet et de la domination sociale sur la nature qui sera soulevée plus loin.

3. *Critique du structuralisme, critique de la « Speech Acts Theory » : différance et itérabilité*

A bien des égards, le structuralisme qui s'inspire de la sémiologie de Ferdinand de Saussure pourrait être considéré comme l'antipode de la déconstruction. A la différence de celle-ci, il prend comme point de départ des oppositions phonétiques ou sémantiques comme b/p, d/t, s/z, masculin/féminin, signifiant/signifié,etc. Les différences que Derrida cherche à miner, à déconstruire sont considérées par Saussure et les structuralistes qui se réclament de lui (Emile Benveniste, Algirdas Julien Greimas, par exemple) comme des données fondamentales de la langue et de la linguistique.

Aux yeux de Saussure, la différence entre des unités phonétiques ou sémantiques apparaît comme la clef de voûte du fonctionnement de la langue. Car les fonctions du système linguistique ne sauraient être définies indépendamment les unes des autres, mais uniquement par rapport à leurs interdépendances. C'est ainsi que Saussure peut affirmer que « dans le langage il n'y a que des différences ». Il explique : « Dans l'intérieur d'une même langue, tous les mots qui expriment des idées voisines se limitent réciproquement : des synonymes comme *redouter*, *craindre*, *avoir peur* n'ont de valeur propre que par leur opposition ; si *redouter* n'existait pas, tout son contenu irait à ses concurrents. »[35]

Tout en acceptant l'idée saussurienne de la réciprocité (de l'interdépendance des unités linguistiques), Derrida rejette la thèse de Saussure selon laquelle la valeur d'un mot comme *redouter* peut être *définie* de manière univoque – c'est-à-dire rendue *présente* – par rapport aux différences qui constituent son champ sémantique. A ses yeux cette thèse rationaliste se transforme en un préjugé logocentriste (métaphysique) qui cherche à fixer un *signifié transcendantal*, un sens inaltérable.

Or pour Derrida la présence du sens est irréalisable, dans la mesure où chaque signe renvoie sans cesse aux significations antérieures et postérieures, opérant ainsi une désintégration de la *présence du sens* et de son *identité*. Autrement dit : le sens n'est jamais présent, parce qu'il est toujours déjà *différé* dans un mouvement que Derrida appelle différ*a*nce. Cette diffé*r*ance est inhérente à toute différence qui prétend identifier chacun des deux termes comme l'opposition saussurienne entre signifiant et signifié : « Les différences sont donc "produites" – différées – par la différance. »[36] Derrida précise : « La différance, c'est ce qui fait que le mouvement de la signification n'est possible que si chaque élément dit "présent" (...) se rapporte à autre chose que lui-même, gardant en lui la marque de l'élément passé et se laissant déjà creuser par la marque de son rapport à l'élément futur (...). »[37] Il appelle *trace* cette marque de l'élément passé ou futur qui rend impossible l'identification, la définition ou la « présentification » d'un signe verbal.

Il reproche à la linguistique saussurienne, dont il analyse la strate « logocentriste » et « phonocentriste », de perpétuer la

[35] Saussure F. de, *Cours de linguistique générale*, Paris, Payot, 1972, p. 160.

[36] Derrida J., La différance, dans *Théorie d'ensemble*, Paris, Seuil, 1968, p. 53.

[37] *Ibid.*, p. 51.

tradition métaphysique et de privilégier le langage parlé qui est censé pouvoir assurer la présence du sens et du signifié transcendantal : de l'idée de Platon. Dans sa critique de cette linguistique du *signifié* (du *contenu*, Hjelmslev), Derrida met l'accent sur le signifiant, sur le *plan de l'expression*.

Anticipant sur le discours du dernier Barthes qui, lui aussi, se réclame de Nietzsche pour délivrer le signifiant interprétable, scriptible de l'emprise du signifié[38], Derrida se sert de la notion de différ*a*nce pour faire allusion au renvoi perpétuel de la présence du sens et à ce que Heidegger, dans *Identität und Differenz*, appelle « Lichtung des sich verhüllend Verschließenden » (« lueur de ce qui s'éclipse en se fermant »). Du point de vue sémiotique, la différ*a*nce peut donc être conçue comme cette collusion ininterrompue de signifiants dont parle Derrida en critiquant le « structuralisme » de Jean Rousset : « Et si le sens du sens (au sens général de sens et non de signalisation), c'est l'implication infinie ? Le renvoi indéfini de signifiant à signifiant? Si sa force est une certaine équivocité pure et infinie ne laissant aucun répit, aucun repos au signifié, l'engageant, en sa propre *économie*, à faire signe encore et à *différer* ? Sauf dans le *Livre irréalisé* de Mallarmé, il n'y a pas d'identité à soi de l'écrit. »[39]

Cette phrase qui renvoie au projet utopique de Mallarmé (grec *ou topos* = en aucun lieu) évoque deux problèmes fondamentaux de la déconstruction qui ont déjà été abordés plus haut (II,1) et qu'il est possible de concrétiser ici : le problème de l'*écriture* et celui de l'*identité*. Ils sont complémentaires dans la mesure où – selon Derrida – l'écriture a été accusée par les philosophes « logocentristes » de déstabiliser, voire de volatiliser le sens. Cette désintégration du « sens présent » tient au fait que le texte écrit peut être lu et relu dans des

[38] Cf. Barthes R., *Le plaisir du texte*, Paris, Seuil, 1973, p. 24, 69.
[39] Derrida J., *L'écriture et la différence*, *op. cit.*, p. 42.

contextes différents qui finissent par produire des glissements de sens dont l'effet principal est la différ*a*nce décrite par Derrida. Autrement dit : l'écriture entraîne la désintégration de l'*identité sémantique du signe*. Sa répétition dans des contextes communicatifs hétérogènes tend à engendrer des effets de sens incompatibles qui peuvent ébranler l'identité d'un mot ou d'un concept.

Derrida appelle cette répétition déconstructrice *itérabilité* et s'oppose ainsi à la théorie des actes de langage anglo-américaine (Austin, Searle) et au structuralisme français (Martinet, Greimas) qui sont d'accord pour affirmer que, loin de mettre en cause l'identité d'un signe, sa répétition (*récurrence* ou *itérativité*) tend à renforcer son sens et à augmenter la cohérence sémantique de son contexte. Or, Derrida prend le contre-pied de cette thèse lorsqu'il parle, dans un article devenu célèbre (« Signature, événement, contexte »), dans lequel il critique la « Speech Acts Theory » d'Austin, d'unités d'itérabilité, « d'unités séparables de leur contexte interne ou externe et séparables d'elles-mêmes en tant que l'itérabilité même qui constitue leur identité ne leur permet jamais d'être une unité d'identité à soi »[40].

En d'autres termes, l'itérabilité en tant que répétition ou récurrence d'un signe aboutit à la désintégration de l'identité sémantique de ce signe : d'abord pour des raisons *pragmatiques* (à cause de l'hétérogénéité des contextes de communication), ensuite pour des raisons *sémantiques* (à cause des changements qui se produisent dans le contexte discursif interne : dans le *co-texte* diraient certains linguistes pour distinguer le contexte communicatif du co-texte intratextuel). Derrida ne distingue pas *explicitement* ces deux niveaux, mais il est essentiel de le faire ici, étant donné que la théorie des actes de langage de Searle et Austin s'oriente surtout vers le

[40] Derrida J., *Marges - de la philosophie*, *op. cit.*, p. 378.

contexte pragmatique, communicatif, tandis que la sémiotique de Greimas vise plutôt le niveau sémantique.

L'article de Derrida a provoqué une critique détaillée de la part de John R. Searle qui a dû être choqué par les idées derridiennes que l'intention d'un auteur n'est jamais de part en part présente dans son texte et que John L. Austin a développé une théorie des actes de langage qui repose sur des abstractions illusoires. En fait Derrida reproche à Austin de ne pas tenir compte des fonctions « citationnelles » du langage (parodie, pastiche, ironie, etc.), de présupposer la « transparence des intentions » de l'auteur, l' « univocité de l'énoncé » et la « présence à soi d'un contexte total ».

Or, ce contexte total – il s'agit d'un problème hégélien par excellence – est insaisissable étant donné l'échec du « savoir absolu » et l'ouverture de tous les contextes. A un autre endroit, Derrida remarque que « tout dépend de contextes toujours ouverts, non saturables »[41] et explique dans l'article commenté par Searle : « Pour qu'un contexte soit exhaustivement déterminable, au sens requis par Austin, il faudrait au moins que l'intention consciente soit totalement présente et actuellement transparente à elle-même (...). »[42] On pourrait inverser cet argument en disant que l'intention consciente ne peut être présente et transparente à elle-même que si le contexte total est exhaustivement déterminé.

Bref, pour Derrida la « Speech Acts Theory » est une idéalisation phonocentriste qui ne peut postuler la *présence* de l'*intention* d'auteur et l'*identité* d'un acte de langage répété que dans la mesure où elle fait abstraction des « contextes toujours ouverts » et de ce qu'Austin appelle les « anomalies » du langage (citation, pastiche, parodie, etc.). C'est grâce à cette abstraction ou idéalisation qu'elle peut reléguer les

[41] Derrida J., *Mémoires - pour Paul de Man*, *op. cit.*, p. 116.
[42] Derrida J., *Marges - de la philosophie*, *op. cit.*, p. 389.

échecs (*infelicities*, Austin) des actes de langage à la périphérie de ses recherches. Or Derrida s'intéresse surtout à ces échecs qu'il explique par les glissements de sens que produit l'*itérabilité : la répétition d'un signe ou d'un mot qui change sans cesse la signification de celui-ci.* Au fond, dit Derrida, la théorie d'Austin se déconstruit elle-même en établissant « une longue liste des échecs » qui devraient être situés au centre du débat au lieu d'être considérés comme des phénomènes marginaux.

La réponse de Searle est très longue et un commentaire détaillé dépasserait le cadre de cette présentation. Mais l'essentiel peut être résumé en quelques mots. L'intentionnalité écrite ne se distingue pas radicalement de l'intentionnalité parlée et la « présence du sens » est donc garantie par les deux formes ; les actes de langage, les phrases articulent les intentions sous-jacentes et : « Dans la mesure où l'auteur dit ce qu'il veut dire, le texte exprime ses intentions. »[43]

Dans l'argument central, Searle inverse la thèse derridienne selon laquelle l'itérabilité déconstruit l'identité du signe et la cohésion sémantique du discours et conclut : « Ainsi les traits particuliers de l'intentionnalité que nous découvrons dans les actes de langage requièrent une itérabilité qui comprend non seulement le type que nous avons analysé, la répétition du même mot dans des contextes différents, mais aussi l'itérabilité de l'application des règles syntaxiques. »[44] Cet argument est sans doute plausible dans la mesure où il confirme l'idée linguistique que la redondance ou récurrence consolide la cohérence – sémantique et syntaxique – du discours. Toutefois, une certaine naïveté se fait jour lorsque Searle affirme qu'un texte exprime les intentions de l'auteur : si c'était le cas, les œuvres de Kant, Hegel et Marx, Proust, Kafka et

[43] Searle J. R., *Pour réitérer les différences. Réponse à Derrida*, trad.J.Proust, Combas, Ed. de l'Eclat, 1991, p. 14.
[44] *Ibid.*, p. 24.

Mallarmé ne susciteraient pas tant de polémiques et il y aurait eu moins de malentendus entre Searle et Derrida.

Quelques-uns de ces malentendus sont discutés par Derrida dans sa longue réponse à Searle intitulée *Limited Inc.* où – malgré de nombreuses digressions et des polémiques évitables – il soulève une question dialectique importante que Searle n'a pu poser : la question de savoir si l'itérabilité n'est pas *à la fois* un processus de construction *et* de déconstruction : « L'itérabilité altère, elle parasite et contamine ce qu'elle identifie et permet de répéter ; elle fait qu'on veut dire (déjà, toujours, aussi) autre chose que ce qu'on veut dire, on dit autre chose que ce qu'on dit *et* voudrait dire, comprend autre chose que..., etc. »[45] Derrida insiste sur le fait que tout discours, toute énonciation dit plus qu'elle ne « veut » dire et que tout signe (concept) peut se dédoubler lorsqu'il est répété, réitéré. Chaque auteur fait l'expérience de ne pas avoir été compris *selon ses intentions*, ce qui ne veut pas dire qu'il ait été « mal » compris : il a tout simplement été compris autrement qu'il ne se comprend lui-même. L'intention, présentée comme transparente par Searle, est en réalité un phénomène complexe et sa complexité est en rapport direct avec l'itérabilité qui peut tantôt affaiblir, tantôt renforcer la cohérence sémantique du discours.

Un bon exemple est cet autre débat célèbre qui a eu lieu entre Karl R. Popper, Thomas S. Kuhn et d'autres théoriciens de la science qui s'intéressent au concept de *paradigme* introduit par Kuhn et violemment critiqué par Popper. Ici il ne s'agit ni du débat ni du concept en tant que tel, mais du fait que sa définition *chez Kuhn*, dans son livre sur *La structure des révolutions scientifiques*, a été considérée comme problématique par la plupart des participants, en particulier par Margaret Masterman. Elle a trouvé 21 définitions divergentes

[45] Derrida J., *Limited Inc.*, trad. E. Weber, Paris, Galilée, 1990, p. 120.

(« inconsistent with one another »)[46] de *paradigme* dans l'ouvrage de Kuhn, donc au niveau du *co-texte*. S'agit-il de différences intentionnelles ? Certainement pas ; et pourtant, ces différences ou divergences constituent la richesse idéelle du livre de Kuhn qui serait peut-être insipide et indiscutable si l'auteur avait réussi à établir une définition univoque.

Bien qu'il ait raison d'insister contre Searle sur les effets déconstructeurs de l'itérabilité, Derrida exagère les obstacles sémantiques auxquels se heurte le sujet en articulant son discours. Greimas et Courtés n'ont pas tort lorsqu'ils définissent – en bons structuralistes – *l'isotopie sémantique* (le plan sémantique sur lequel est établie la cohérence du texte) comme « itérativité, le long d'une chaîne syntagmatique, de classèmes qui assure au discours-énoncé son homogénéité »[47] – son *homogénéité* et non pas sa désintégration ou déconstruction. « Itérativité » en tant que *constitution et consolidation du sens* ou « itérabilité » en tant que *dispersion du sens* ? Où est la vérité ?

Elle n'est pas quelque part au milieu, mais dans un rapport à la fois dialectique et dialogique entre ces deux positions extrêmes. D'une part, il faut reconnaître que la récurrence ou itérativité d'unités sémantiques peut rendre plus cohérent et plus clair un discours ; d'autre part, il faut tenir compte du fait que toute récurrence *ou* itérativité (s'agit-il vraiment de synonymes ? les unités récurrentes sont-elles vraiment *identiques* ?) peut produire des dérapages de sens imprévus, non intentionnels. La remarque de Greimas dans la *Sémantique structurale* (1966) qu' « il n'y a pas de mystères dans le

[46] Cf. Masterman M., The Nature of a paradigm, dans *Criticism and the Growth of Knowledge*, éd. I. Lakatos, A. Musgrave, Cambridge, Univ. Press, 1970, p. 61-65.

[47] Greimas A. J., Courtés J., *Sémiotique. Dictionnaire raisonné de la théorie du langage*, Paris, Hachette, 1979, p. 197. (Voir aussi : « Itérativité » : p. 199-200.)

langage »[48] est probablement une naïveté rationaliste. Mais l'idée de Derrida que tout discours se déconstruit lui-même est désavouée par sa propre théorie qui repose, comme toutes les autres théories, sur une *taxinomie structurée* par des oppositions fondamentales comme *logocentrisme/déconstruction, parole/écriture,* etc. Si cette taxinomie lui manquait, elle ne pourrait être ni expliquée, ni critiquée. Elle repose aussi sur la possibilité d'identifier des textes comme *Limited Inc.* ou *L'écriture et la différence.* Si ces ouvrages n'étaient pas *identifiables* et *réitérables* en tant que textes particuliers exprimant certaines idées *définissables,* il serait impossible de les (re-)connaître ou de les traduire. Bertil Malmberg remarque à propos de l'anticonceptualisme de Derrida : « C'est donc en réalité le principe des structures générales (profondes) et des universaux linguistiques qui explique la possibilité des traductions comme il explique celle des transformations à l'intérieur des langues. »[49]

4. Dissémination et dialectique de la totalité : Derrida, Jean-Pierre Richard et Mallarmé

La mise en relation de la déconstruction et du structuralisme pourrait être lue comme une préface théorique à la critique que Derrida adresse à l'analyse thématique de Mallarmé proposée par Jean-Pierre Richard. Bien que Richard ne soit pas un représentant du structuralisme (greimasien ou autre), il se sert, dans son ouvrage volumineux sur Mallarmé, du concept d'*itération* et soulève donc le problème de la cohérence/non-cohérence textuelle. Il cherche à démontrer la *cohérence thématique* de l'œuvre mallarméenne et s'appuie

[48] Greimas A. J., *Sémantique structurale*, Paris, Larousse, 1966, p. 58.
[49] Malmberg B., Derrida et la sémiologie : quelques notes marginales, dans *Semiotica*, 11/2, 1974, p. 196.

non seulement sur le concept d'*itération* sémantique, mais aussi sur la notion hégélienne de *totalité*. A ses yeux, les textes de Mallarmé constituent une totalité significative, dont les parties interdépendantes s'éclairent mutuellement dans leurs rapports dialectiques.

C'est dans ce contexte, dominé, comme le remarque un critique allemand, par la recherche d'une « vision unitaire »[50], que Richard se sert du mot « dissémination ». Ce mot est d'origine mallarméenne et apparaît dans la « Préface à *Vathek* », où il prend un sens nettement péjoratif : Mallarmé y parle, à propos des anglicismes du roman français de William Beckford (1778), de la phrase qui « se dissémine en l'ombre et le vague » et lui oppose « la mise en lumière des mots »[51].

Dans *L'univers imaginaire de Mallarmé* (1961), Richard se réclame de cette opposition entre l'ombre et la lumière et introduit le substantif qui sera plus tard repris par Derrida : « Contre la dissémination du sens, le mot heureux campera donc la vérité d'un dur relief. »[52] Le concept disputé apparaît donc pour la première fois dans un contexte « logocentriste » et hégélien dont les prétentions unificatrices et totalisantes – un chapitre porte le titre « Vers une dialectique de la totalité » – ont provoqué Derrida. Mais en quoi consiste l'« hégélianisme » de Jean-Pierre Richard ?

D'abord dans sa tentative pour présenter Mallarmé comme un auteur qui défend le sens contre les « invasions verbales du hasard »[53] et qui cherche donc à construire une totalité cohérente, imprégnée d'un sens organisé par l'intention sub-

[50] Fricke D., « Jean-Pierre Richard », dans *Französische Literaturkritik in Einzeldarstellungen*, éd. W.-D. Lange, Stuttgart, Kröner, 1975, p. 187.

[51] Mallarmé S., Préface à *Vathek*, dans *Œuvres complètes*, Paris, Gallimard, Bibl. de la Pléiade, 1945, p. 568.

[52] Richard J.-P., *L'univers imaginaire de Mallarmé*, Paris, Seuil, 1961, p. 380.

[53] *Ibid.*

jective. Richard se réclame explicitement de Hegel lorsqu'il renvoie aux lectures de Mallarmé (« Mallarmé aurait pu se souvenir ici du commentaire de Véra à Hegel »)[54] et lorsqu'il insiste sur la synthèse mallarméenne entre le « sensible » (*sinnliche Erscheinung*, Hegel, cf. I, 1) et le « concept abstrait » dans l'idée. Celle-ci n'est pas une simple abstraction, mais « ressemble plutôt à ce que les philosophes nomment aujourd'hui une *essence concrète* »[55]. Il ne peut s'agir que de philosophes hégéliens.

Pour Richard, l'idée mallarméenne est celle d'une synthèse. Dans son conte indien *Le mort vivant*, par exemple, le poète cherche à réconcilier des « principes ennemis » comme jour et nuit, vie et mort, etc. Pour accomplir cette réconciliation il se sert de la *métaphore* qui apparaît, chez Richard, comme un instrument de l'*Aufhebung* dialectique : « L'équilibre idéal, pour Mallarmé, c'est en effet celui qui s'établit entre deux éléments opposés. La métaphore est ainsi un accouplement, et la synthèse une réduction dialectique du double à l'un. »[56]

Enfin, la méthode thématique développée par Richard dans son ouvrage sur Mallarmé nous rappelle le *structuralisme génétique* de Lucien Goldmann qui cherche à faire signifier les parties par rapport au tout et la totalité par rapport aux parties.[57] Richard semble suivre ce mouvement herméneutique, lorsqu'il parle de « la preuve dialectique du tout par la partie et de la partie par le tout »[58]. La clef de voûte de la cohérence totale est l'Esprit hégélien, et Richard

[54] *Ibid.*, p. 422.

[55] *Ibid.*, p. 412.

[56] *Ibid.*, p. 424.

[57] Cf. Goldmann L., Le tout et les parties, dans *Le dieu caché*, Paris, Gallimard, 1955, p. 13-31.

[58] Richard J.-P., *L'univers imaginaire de Mallarmé, op. cit.*, p. 432.

parle, à propos de l'idée mallarméenne, d'« un centre suprême, qui est l'esprit »[59].

Sur le plan sémantique, « l'itération des motifs » garantit « la rigueur du développement thématique »[60]. A un autre endroit, Richard insiste sur le critère de *récurrence*[61]. Bien qu'elle soit plutôt intuitive, son analyse textuelle s'appuie donc sur des concepts élaborés (indépendamment de l'analyse thématique) par la sémiotique structurale de Greimas. Sa façon d'envisager la cohérence sémantique du texte mallarméen fait penser au concept greimasien d'isotopie : « Une flamme, par exemple, se superposera à une chevelure afin de faire vivre en nous la notion d'efflorescence embrasée. Un glacier s'unit à une chasteté afin de nous communiquer l'essence de la froideur vierge. »[62] Nous assistons ici aux tentatives d'une esthétique hégélienne et « structuraliste » pour mettre au jour le contenu conceptuel d'une œuvre littéraire.

Il n'est donc pas étonnant que l'ouvrage de Jean-Pierre Richard ait irrité le philosophe de la déconstruction. Dans un article publié sous le titre « La Double séance » (*Tel Quel*, 1970, *La dissémination*, 1972), Derrida reproche à l'analyse thématique son « logocentrisme » platonicien et parle, à propos du livre de Richard, d'une « atmosphère intimiste, symboliste et néohégélienne »[63]. Il commence par mettre en question la possibilité de la « critique thématique ».

Il prend le contre-pied de la thèse fondamentale de l'analyse thématique selon laquelle le projet mallarméen vise « l'unification du monde par le livre ». En même temps il s'en prend à l'idée de Richard que Mallarmé aurait tenté de

[59] *Ibid.*, p. 419.
[60] *Ibid.*, p. 22.
[61] Cf. *ibid.*, p. 24
[62] *Ibid.*, p. 417.
[63] Derrida J., *La dissémination*, *op. cit.*, p. 303.

contenir ou maîtriser la *dissémination* du sens afin de pouvoir réaliser son projet unificateur. Pour Derrida il s'agit de délivrer le mot « disséminer » du joug platonicien-hégélien, de le soustraire à l'emprise de la métaphysique de la totalité et d'en faire un (non-) concept clé de la déconstruction.

Il cherche à démontrer – on pouvait s'y attendre – qu'il n'y a pas chez Mallarmé un « signifié en dernière instance » ou « un référent en dernière instance »[64]. Il cite, à l'appui de cette thèse, toutes les ambiguïtés et polysémies du poème mallarméen et révèle à quel point une lecture attentive des textes en question transforme l'*itérativité* thématique (ou structurale), dont se réclame Richard, en *itérabilité*, en dispersion sémantique : en *dissémination*.

Ainsi, le thème du *pli* (mot récurrent chez Mallarmé, par ex. dans *Hommage* : « Le silence déjà funèbre d'une moire/Dispose plus qu'un pli seul sur le mobilier »), que Richard insère dans une totalité sémantique régie par le concept d'*intimité*, est déconstruit par Derrida qui insiste sur « tout ce qui dans le pli marque aussi la déhiscence, la dissémination, l'espacement, la temporisation, etc. »[65] Dans le contexte théorique ébauché ici, une certaine importance revient sans doute au mot « aussi » : car Derrida ne nie pas l'existence des thèmes analysés par Richard (*pli*, *blanc*, *azur*), mais la possibilité de les rassembler dans une totalité conceptualisée qui serait la « vérité ».

A la différence de l'herméneutique totalisante de Richard, la dissémination préconisée par Derrida ne connaît aucune fixation conceptuelle. Elle exclut même la distinction traditionnelle entre le « sens originel » et le « sens métaphorique ». Dans une situation critique, où la vérité elle-même se trouve réduite à une « cohue grouillante de

[64] *Ibid.*, p. 236.
[65] *Ibid.*, p. 303.

métaphores » (Nietzsche), toute tentative pour rendre compte de la métaphore au niveau conceptuel est d'emblée vouée à l'échec. Il n'y a que la figure et la philosophie se transforme en rhétorique au sens nietzschéen du terme : « La dissémination de blancs (nous ne dirons pas de la blancheur) produit une structure tropologique qui circule infiniment sur elle-même par le supplément incessant d'un tour de trop : *plus* de métaphore, *plus* de métonymie. Tout devenant métaphorique, il n'y a plus de sens propre et donc plus de métaphore. »[66] Le *pli* est irréductible au concept de métaphore : non seulement parce que le sens propre s'évanouit, mais aussi parce que ce signifiant mallarméen revêt des significations contradictoires. A en croire Derrida, le mot « pli » est à la fois virginité *et* ce qui la viole, et souvent il n'est ni l'un ni l'autre, ce qui fait que son sens est « indécidable », irréductiblement ambivalent.

Il est évident que la *dissémination* sous sa forme derridienne ne saurait être identifiée à la *polysémie* sémiotique définie par Greimas et Courtés comme « pluri-isotopie » : comme coexistence de deux ou plusieurs isotopies hétérogènes[67]. Car, dans le contexte de la polysémie, le sens peut être défini, dans la mesure où un mot (*sémème*) peut être situé sur une isotopie précise. Il n'est donc pas « indécidable ». La déconstruction se distingue de la sémiotique par l'ambivalence radicale, nietzschéenne qui rend impossible la définition des unités linguistiques. Cette ambivalence engendre l'aporie qui joue un rôle important dans les discours des déconstructivistes américains (Paul de Man).

L'ambivalence derridienne mène au dépassement de la distinction institutionnalisée entre littérature et philosophie. « Mes textes, explique Derrida, n'appartiennent ni au registre

[66] *Ibid.*, p. 290.

[67] Cf. Greimas A. J., Courtés J., *Sémiotique*, *op. cit.*, p. 282.

"philosophique" ni au registre "littéraire". »[68] Il est donc précaire de parler d'*esthétique* à propos de la déconstruction – puisque toute esthétique est philosophie. Malgré cette difficulté la critique littéraire de Derrida peut être comprise comme une esthétique nietzschéenne du signifiant, du plan de l'expression : une esthétique qui cherche à dépasser les limites de la polysémie en imaginant la dissémination. Pourtant, Derrida n'a pas vraiment démontré que les mots clés des textes mallarméens sont « indécidables » et on pourrait lui objecter que ces textes devraient être analysés au niveau sémiotique comme des unités hétérogènes et « pluri-isotopes », dont le sens change de société en société, d'époque en époque. La critique qu'il adresse à Richard est toutefois justifiée dans la mesure où l'analyse thématique tend à privilégier la monosémie textuelle et à négliger l'hétérogénéité sémantique du poème mallarméen, ainsi que sa capacité d'assumer des significations nouvelles dans un contexte historique ouvert. Enfin, certaines difficultés de la sémiotique structurale [69] montrent que la décision d'attribuer un lexème comme *pli* à une isotopie particulière ou à plusieurs isotopies est parfois – pas toujours – arbitraire et qu'il *pourrait* donc y avoir des mots « indécidables » : d'où la nécessité de poursuivre le dialogue entre ces deux positions extrêmes.

5. *Derrida lecteur de Baudelaire : « La fausse monnaie »*

Dans ses analyses du poème en prose baudelairien *La fausse monnaie* (*Le spleen de Paris*, XXVIII), Derrida développe certains arguments avancés dans « La double séance » en concrétisant la notion de *dissémination*. Il s'agit de l'appliquer

[68] Derrida J., *Positions*, *op. cit.*, p. 95.

[69] Cf. Zima P. V., *Literarische Ästhetik*, Tübingen, Francke, 1991, chap. 7 : « Algirdas J. Greimas' Ästhetik der Inhaltsebene ».

au mot *don* (*donner*) et de montrer à quel point le sens de ce mot est indécidable : dans l'*Essai sur le don* (1923/24) de Marcel Mauss, dans la théorie linguistique de Benveniste et dans le poème en prose de Baudelaire qui sera situé ici au centre de la discussion. Son interprétation par Derrida permettra de relier la déconstruction française aux pratiques déconstructrices des critiques américains.

Le texte de Baudelaire est marqué par une péripétie inattendue : sortant d'un bureau de tabac, le narrateur observe son ami qui fait « un soigneux triage de sa monnaie » en examinant particulièrement « une pièce d'argent de deux francs ». Les deux hommes rencontrent un mendiant, dont le regard attendrit le narrateur : ils lui donnent de l'argent. Le narrateur constate que l'offrande de son ami est bien plus généreuse que la sienne et lui dit : « Vous avez raison; après le plaisir d'être étonné, il n'en est pas de plus grand que celui de causer une surprise. “C'était la pièce fausse”, me répondit-il tranquillement, comme pour se justifier de sa prodigalité. »[70] Ce qui suit est une construction d'hypothèses par le narrateur qui cherche à expliquer et excuser « une pareille conduite » de la part de son ami qui avait peut-être voulu « créer un événement dans la vie de ce pauvre diable ». Cet événement peut être positif ou négatif et l'incertitude révèle l'ambiguïté du *don* : la fausse pièce peut faire la fortune du mendiant ou le conduire en prison comme diffuseur de fausse monnaie. L'ami interrompt brusquement la rêverie du narrateur en reprenant les paroles du celui-ci : « Oui, vous avez raison ; il n'est pas de plaisir plus doux que de surprendre un homme en lui donnant plus qu'il n'espère. » Le narrateur se montre indigné en reconnaissant que son ami « avait voulu faire à la fois la charité et une bonne affaire ». Il lui aurait « presque par-

[70] Baudelaire Ch., *La fausse monnaie*, dans *Œuvres complètes*, t. I, Paris, Gallimard, Bibl. de la Pléiade, 1975, p. 323-324.

donné » sa méchanceté, mais ne saurait accepter un mélange de méchanceté et de bêtise : « On n'est jamais excusable d'être méchant, mais il y a quelque mérite à savoir qu'on l'est ; et le plus irréparable des vices est de faire le mal par bêtise. »[71]

En analysant le poème en prose, Derrida renoue avec ses commentaires à l'*Essai sur le don* et avec son projet, formulé à propos des théories de Mauss et de Benveniste, de poursuivre « la dissémination du sens "don" »[72]. Il se réclame des recherches de Mauss qui révèlent toutes les difficultés auxquelles on se heurte en tâchant de distinguer le don de l'échange économique, de l'endettement à long terme, etc. « Pour qu'il y ait don, il faut qu'il n'y ait pas de réciprocité, de retour, d'échange, de contre-don ni de dette. »[73] Or, il est difficile d'éviter la réciprocité et l'endettement en donnant un objet, et le don en tant que tel (s'il existe, dirait Derrida) est *temporisé*, *différé* par l'attente toujours implicite – donc inévitable – de réciprocité, de contre-don. Ce qui fait dire à Derrida qu'on ne peut donner, en fin de compte, que le *temps* qui rend la réciprocité possible. Le don ressemble ainsi à l'Etre heideggerien qui, lui aussi, devrait se manifester dans le temps, mais dont la présence est sans cesse différée dans la sphère de l'Etant. Enfin, le don est ambigu et Derrida se réclame de l'origine commune des mots allemand et anglais *Gift* (*=poison*, vieil all. *=don*) et *gift* (=don) pour illustrer cette ambiguïté qui est confirmée par les recherches linguistiques de Benveniste dans lesquelles le verbe de la racine indo-européenne *do* apparaît comme un élément ambivalent : il ne signifie ni donner ni prendre, mais l'un ou l'autre selon la construction syntaxique.

[71] *Ibid.*, p. 324.

[72] Derrida J., *Donner le temps. 1. La fausse monnaie*, Paris, Galilée, 1991, p. 77.

[73] *Ibid.*, p. 24.

L'ambivalence intrinsèque du substantif *don* et du verbe *donner* est également illustrée par le texte de Baudelaire dont le narrateur se met à spéculer sur les effets que peut produire une pièce fausse dans la vie du mendiant : « Ne pouvait-elle pas se multiplier en pièces vraies ? ne pouvait-elle pas aussi le conduire en prison ? » Prenant comme point de départ cette ambivalence du don dans le texte, Derrida cherche à mettre en relief le caractère aporétique, paradoxal et indécidable du poème en prose.

Parlant dans une note (p. 163) de « l'aporétique » du don, il met celle-ci en rapport avec la différ*a*nce. Le don fait par l'ami du narrateur n'est don – au sens positif du mot – que dans le temps. Son effet de don est ajourné, différé jusqu'au moment où il se « multiplie en pièces vraies » faisant ainsi la fortune du pauvre. Même en ce moment, l'effet du don est incertain, vu que l'avènement de la richesse peut coïncider avec la découverte du « propagateur de fausse monnaie » – donc avec son malheur. Bref, le don de la « fausse monnaie » révèle le caractère foncièrement double, paradoxal du don en général qui peut être don de la vie ou de la mort, du bonheur ou du malheur ou des deux à la fois si l'on tient compte de sa dimension temporelle.

Derrida évoque la structure paradoxale du poème en prose et renvoie au projet de Baudelaire d'intituler une nouvelle *Le paradoxe de l'aumône* en ajoutant que « certains de ses éditeurs sont prêts à y voir le premier titre de *La fausse monnaie* »[74]. Il a peut-être raison d'affirmer que le don ambivalent et paradoxal fait par l'ami du narrateur « requiert à la fois et exclut la possibilité du récit »[75]. Car le caractère double de la fausse pièce rend possibles au moins deux récits concurrents que le narrateur construit sous forme d'hypo-

[74] *Ibid.*, p. 162.
[75] *Ibid.*, p. 133.

thèses et qui s'excluent mutuellement : le récit du bonheur et le récit du malheur. Derrida montre que l'ambivalence sémantique a pour effet l'*indécidabilité* au niveau narratif.

Mais, à la différence de l'auteur de *La double séance*, celui de *Donner le temps* sort du domaine *sémantique* et narratif, du domaine textuel proprement dit, et se situe, dans la plupart de ses arguments, sur le plan *pragmatique* : sur celui de la communication entre auteur et lecteur. Il a tout à fait raison de distinguer l'auteur de son narrateur fictif. A propos du poème en prose il constate que son récit est « vraiment fictif, mais produit *comme récit vrai* par le narrateur dans la fiction signée et forgée par Baudelaire (...) »[76]. « Forgé » acquiert ici des connotations négatives (« controuvé », « faux ») et ne signifie donc pas seulement « fabriqué » ou « inventé ». Développant ces connotations, Derrida s'appuie sur l'hypothèse que « l'histoire est – peut-être – elle-même, *comme* littérature, de la fausse monnaie, une fiction dont on pourra dire, à la limite, en cherchant midi à quatorze heures, tout ce que le narrateur (...) aura pu dire de la fausse monnaie de son ami, des intentions qu'il prête à son ami (...) »[77].

Pourtant, la littérature n'est pas – contrairement à ce que pensait Platon – comparable à la fausse monnaie, à une fausse affirmation ou à une fausseté quelconque. En établissant une fausse analogie entre la fiction littéraire et la fausseté (de la monnaie), Derrida efface la différence essentielle entre l'*illusion esthétique* et ce qui est *faux*, donc réfutable ou inauthentique comme la fausse pièce[78].

En négligeant tout ce qui sépare l'illusion esthétique, qui est une *construction* de *réalité*, d'un *monde possible*

[76] Derrida J., *Donner le temps*, *op. cit.*, p. 123.

[77] *Ibid.*, p. 113-114.

[78] Tout un volume collectif a été récemment consacré à cette différence : *Aesthetic Illusion. Theoretical and Historical Approaches*, eds. F. Burwick, W. Pape, Berlin-New York, De Gruyter, 1990.

(Hintikka, Eco), des affirmations ou des pièces fausses, Derrida peut négliger les données sémantiques et narratives du texte baudelairien et se livrer à des spéculations qui sont des interprétations non fondées – « overinterpretations », dirait Eco – et qui dépassent les « limites de l'interprétation »[79]. A propos de l'ami du narrateur il se demande par exemple : « Et si, dans un simulacre d'aveu, il faisait passer de la vraie monnnaie pour de la fausse ? »[80] A un autre endroit il affirme que « la réponse de l'ami aussi *peut être* de la fausse monnaie »[81]. Imitant le narrateur baudelairien, il se met à spéculer sur les motivations cachées de l'ami qui pourrait se sentir innocent d'avoir trompé le mendiant étant donné que « par cette pièce fausse il s'est soustrait au cycle du don comme violence à l'égard du pauvre »[82]. L'ambivalence du don acquiert ici de nouvelles dimensions : on donne une pièce fausse pour délivrer le pauvre des contraintes du don qui entraîne toujours des obligations...

Autant vaudrait spéculer sur la sincérité d'un personnage balzacien comme Mme de Bargeton qui « s'éprit d'un gentilhomme, simple sous-lieutenant ». En parlant à propos de Mme de Bargeton des « restes d'une Jérusalem céleste, enfin l'amour sans l'amant » et en ajoutant « c'était vrai », le narrateur de Balzac crée une illusion esthétique, donc un monde possible qui fait *concurrence* au monde réel en établissant ses propres *faits* et partant ses propres *critères de véridiction*[83] qui ne sauraient être assimilés à ceux du lecteur. Il en va de même de l'univers baudelairien, où le narra-

[79] Cf. Eco U., Overinterpreting Texts, dans *Interpretation and Overinterpretation*, éd. S. Collini, Cambridge, Univ. Press, 1992.

[80] Derrida J., *Donner le temps*, *op. cit.*, p. 125.

[81] *Ibid.*, p. 189.

[82] *Ibid.*

[83] Cf. Greimas A. J., Le contrat de véridiction, dans *Du sens II. Essais sémiotiques*, Paris, Seuil, 1983.

teur *constate* que son ami avait glissé dans sa poche droite « une pièce d'argent de deux francs qu'il avait particulièrement examinée ». Un autre fait fictionnel est créé lorsque l'ami explique : « C'était la pièce fausse. » Pour que cet énoncé puisse être mis en doute comme « ruse », « mensonge » ou simple « blague », il faudrait pouvoir s'appuyer sur des éléments textuels précis : une remarque du narrateur ou de l'ami, par exemple. Or ces éléments manquent et la déconstruction tourne à vide lorsqu'elle « sort » du texte pour se livrer à la spéculation qui consiste à projeter arbitrairement des associations du lecteur (de Derrida) sur le texte.

Il ne s'agit pas de discréditer la déconstruction ou de renforcer les préjugés rationalistes à son égard, car on a pu constater, dans les sections précédentes, qu'elle est un correctif important d'une critique littéraire qui fut longtemps dominée par l'idée hégélienne ou rationaliste d'une conceptualisation (monosémie) du texte. Derrida a montré que l'ambivalence et l'itérabilité hantent non seulement les textes littéraires, mais aussi les textes philosophiques et qu'aucune théorie sémantique ou dialectique ne saurait éliminer certains endroits indécidables. Il a pourtant tort de transformer la difficulté de comprendre un texte comme une *structure* cohérente ou hétérogène en une impossibilité et de confondre le texte littéraire avec les associations du lecteur. On verra que ces deux tendances sont renforcées par les critiques américains qui cherchent à effacer la frontière entre le domaine littéraire et le domaine théorique.

III

La déconstruction aux Etats-Unis

A l'instar du New Criticism anglo-américain développé par des auteurs comme John Crowe Ransom (cf. *The New Criticism*, 1941), Cleanth Brooks et Robert Penn Warren, les représentants de la déconstruction américaine situent le texte littéraire ou autre au centre de la discussion. Négligeant le contexte biographique (psychique) et socio-historique, ils privilégient ce que les New Critics appelaient jadis *close reading* : la lecture du texte en tant que tel. Mais, à l'opposé des « nouveaux critiques » d'antan, les amis américains de Derrida ne lisent pas pour révéler la *cohérence* phonétique, sémantique et syntaxique du texte ; ils cherchent plutôt ses ambivalences irréductibles, ses contradictions et ses apories.

A leurs yeux, le projet de révéler les contradictions et les incohérences du texte, ce que Paul de Man appelle son *illisibilité* (*unreadability*), se présente parfois comme un devoir éthique. Le lecteur lucide, le « good reader », comme dit J. Hillis Miller, aperçoit clairement « l'illisibilité du texte », « the unreadability of the text »[1] et refuse de la camoufler en se réclamant de la totalité hégélienne ou d'une cohérence herméneutique quelconque. L'éthique de la lecture consiste donc, chez J. Hillis Miller comme chez Paul de Man, à reconnaître le caractère contradictoire et illisible du texte et à admettre l'échec de la lecture au lieu d'appliquer la grille théorique à l'objet analysé afin de pouvoir le soumettre au discours conceptuel. Malgré son nietzschéisme avoué, J. Hillis Miller a l'air de renouer avec le scepticisme kantien à l'égard

[1] Miller J. H., *The Ethics of Reading*, N.Y., Columbia Univ. Press, 1987, p. 33.

de toute réduction conceptuelle du beau lorsqu'il remarque dans *Theory now and then* (1991) à propos du rapport entre littérature et théorie qu'il « est plus probable que la bonne lecture (*good reading*) mènera à la réfutation ou modification radicale d'une théorie qu'à la confirmation définitive de celle-ci »[2].

L'autre aspect éthique de la déconstruction, telle qu'elle est envisagée dans les pays de langue anglaise, est étroitement liée à la lecture honnête dont parlent J. Hillis Miller et Paul de Man. Il s'agit d'entamer un dialogue authentique avec le texte et son altérité ; il s'agit de respecter cette altérité en s'inspirant de l'agnosticisme kantien au lieu de hasarder un tour de force hégélien et subsumer l'objet (le texte) à la volonté d'un sujet dominateur. C'est dans ce contexte que Simon Critchley critique, dans *The Ethics of Deconstruction*, le logocentrisme de Hegel : « La philosophie, en particulier sous sa forme hégélienne, a toujours persisté à représenter son Autre (l'art, la religion, la nature, etc.) comme un Autre qui fait partie *d'elle-même*, s'appropriant ainsi l'Autre et perdant de vue son altérité. »[3] (Cf. à ce sujet le Ier chap.) Critchley insiste sur la présence de la pensée d'Emmanuel Levinas dans la philosophie de Derrida et sur le refus de ces deux philosophes de réduire l'Autre (l'altérité de l'objet) au Même, au sujet hégélien. Les auteurs de la déconstruction américaine ne font que confirmer ce refus lorsqu'ils plaident en faveur d'une « honnête » lecture qui n'escamote pas les contradictions et les apories de l'objet.

Pourtant, le problème éthique évoqué par Derrida, de Man et Miller a en même temps un aspect épistémologique : comment peut-on affirmer avec certitude qu'une lecture particu-

2 Miller J. H., *Theory now and then*, Londres-N.Y., Harvester-Wheatsheaf, 1991, p. 339.

3 Critchley S., *The Ethics of Deconstruction. Derrida and Levinas*, Oxford, Blackwell, 1992, p. 28.

lière, fût-elle « déconstructrice », soit la « bonne » et que les contradictions « révélées » par un critique comme de Man se trouvent « vraiment » dans le texte ? De Man par exemple a l'air de commettre une bévue hégélienne (idéologique) lorsqu'il affirme que la « déconstruction vise toujours à révéler l'existence d'articulations et de fragmentations dissimulées dans des totalités prétendument monadiques »[4]. Comme le « réaliste » Hegel qui suppose que les catégories de la pensée dialectique correspondent à la réalité identifiée au sujet philosophique, de Man part de l'idée que la déconstruction n'a qu'à « révéler » les « articulations » et les « fragmentations » qui se trouvent *dans* le texte, dans l'objet.

Il omet de poser le problème du métalangage – déconstructeur ou autre – responsable de la construction de l'objet théorique qui n'est jamais donné ou « reflété » selon un principe mimétique quelconque, mais (re-)construit par un discours théorique contingent. C'est un aspect du discours théorique dont les déconstructivistes n'ont pas l'air de tenir compte – aussi peu d'ailleurs que leurs critiques hégéliens, marxistes et structuralistes qui tendent à identifier les textes avec des structures sémantiques ou autres qu'ils ont eux-mêmes *construites* et projetées dans *leurs* objets sans réfléchir sur le *processus de construction*.

Dans les sections suivantes, en particulier dans celles sur Paul de Man et J. Hillis Miller, on verra que cette oblitération de la construction métalinguistique constitue une faiblesse fondamentale de la déconstruction et qu'elle mène souvent à une occultation de la dimension socio-historique du texte.

[4] De Man P., *Allégories de la lecture*, Paris, Galilée, 1989, p. 301.

1. Paul de Man : rhétorique et aporie

Il n'est probablement pas faux de considérer les représentants américains de la déconstruction comme les héritiers universitaires des New Critics. Car l'hégémonie institutionnelle exercée, après la Seconde Guerre mondiale, par le New Criticism a été remplacée, au cours des années 70 et 80, par une hégémonie de la déconstruction dont l'essor a commencé à l'Université de Yale où enseignaient et enseignent ses auteurs les plus importants. Ecrivant au début des années 90, David Lehman remarque : « On constate que les déconstructeurs de "l'hégémonie" sont en train d'établir leur propre hégémonie (...) » et ajoute à propos de Paul de Man qu'il est « généralement considéré comme la lumière guide de la déconstruction littéraire »[5].

Cette approche critique n'a pas seulement remplacé le New Criticism ; elle a renoué avec certains de ses principes méthodologiques comme le *close reading* et avec son aversion kantienne envers la conceptualisation de l'art (cf. chap. I, 1). Comme Kant, de Man adopte le point de vue du lecteur (du spectateur) et s'oppose à toute tentative hégélienne pour expliquer l'œuvre d'art dans le cadre d'un système conceptuel. Confirmant le kantisme des New Critics – de Ransom en particulier –, il refuse de considérer la critique littéraire comme une science : « La sémantique de l'interprétation, écrit-il dans *Blindness and Insight*, n'a aucune consistence épistémologique et ne saurait donc être scientifique. »[6]

Il va bien plus loin que Kant et les New Critics pourtant, lorsqu'il postule, en suivant Nietzsche (cf. I, 4), la prépondérance de la dimension rhétorique du discours sur sa dimension logique et grammaticale et lorsqu'il affirme dans *The Resis-*

[5] Lehman D., *Signs of the Times. Deconstruction and the Fall of Paul de Man*, N.Y., Poseidon Press, 1991, p. 79 et p. 24.
[6] De Man P., *Blindness and Insight*, N.Y., Oxford Univ. Press, 1971, p. 109.

tance to Theory : « Les difficultés n'apparaissent qu'au moment où il n'est plus possible d'ignorer les effets épistémologiques de la dimension rhétorique du discours (...). »[7] C'est l'élément rhétorique, jadis analysé par Nietzsche, qui rend toute conceptualisation systématique impossible et qui rend compte des obstacles que doit affronter toute théorie littéraire. Car le texte dit littéraire « privilégie la fonction rhétorique aux dépens des fonctions grammaticale et logique »[8].

Dans la mesure où la conception rhétorique du discours proposée par de Man ne s'arrête pas aux confins de la littérature et de la théorie, mais s'étend au domaine théorique lui-même, nous assistons à une particularisation extrême de la notion de théorie. En tant que rhétorique, en tant que discours figuratif régi par le trope, la théorie résiste à ses propres efforts de conceptualisation et de systématisation : « Rien ne peut surmonter la résistance à la théorie, étant donné que la théorie *est* elle-même cette résistance. »[9] Le paradoxe et l'ironie romantiques résonnent dans cette phrase qui annonce et explique les apories de la déconstruction manienne.

A l'opposé de Hegel qui insiste sur le caractère conceptuel des métaphores mortes ou automatisées (p. ex. *domaine de recherches*, *champ magnétique*), réduisant la métaphore à sa « signification abstraite » (« abstrakte Bedeutung »)[10], de Man cherche à mettre en relief le caractère rhétorique ou figuratif des principaux concepts théoriques. Si sa thèse était confirmée par la pratique scientifique, il faudrait aussi accepter la thèse complémentaire formulée par un autre représentant de la déconstruction américaine, Jonathan Culler : « Il n'est

[7] De Man P., *The Resistance to Theory*, Minneapolis, Univ. of Minnesota Press, 1986, p. 14.

[8] *Ibid.*

[9] *Ibid.*, p. 19.

[10] Hegel G. W. F., *Vorlesungen über die Ästhetik*, t. I, Francfort, Suhrkamp, 1970, p. 518.

pas question, par exemple, d'éviter les pièges de la rhétorique en s'apercevant du caractère rhétorique du discours. »[11] Et pourtant la mathématique et la logique formelle – irréductibles à la rhétorique – jouent un rôle non négligeable dans tous les discours théoriques, y compris les discours linguistiques et esthétiques. Ajoutons qu'un sémioticien comme Greimas montre à des endroits décisifs qu'il est parfaitement possible de rendre compte de figures comme la métaphore à l'aide de concepts comme *sème* ou *sémème*. Sous ce jour les thèses de la déconstruction manienne apparaissent comme des exagérations (nietzschéennes) de l'importance du trope qui ignorent *l'immanence de la logique formelle à toute argumentation théorique*.

Ces exagérations ont une longue histoire qui commence avec la critique de Hegel par les jeunes hégéliens (cf. I, 3). Comme les jeunes hégéliens, Paul de Man s'en prend à la dialectique systématique de Hegel en mettant l'accent sur l'ambivalence irréductible, sur la conjonction des contraires sans unité, sans synthèse. Dans *The Resistance to Theory* il affirme : « Dans la mesure où les oppositions binaires permettent et invitent la synthèse, elles sont les structures différentielles les plus trompeuses. »[12]

Cette critique de la synthèse hégélienne aboutit, chez de Man, comme jadis chez les jeunes hégéliens, à une valorisation du particulier, du singulier et à une critique radicale de l'universel, du concept. Cette réévaluation du particulier qui se manifeste chez Stirner dans l'exaltation anarchique de l'individu, chez Feuerbach dans l'éloge matérialiste des sens, chez Vischer dans la mise en relief de l'autonomie de l'art et chez Kierkegaard – héritier des jeunes hégéliens – dans le remplacement de l'histoire hégélienne par l'intériorité indivi-

[11] Culler J., *Framing the Sign. Criticism and its Institutions*, Oxford, Blackwell, 1988, p. 122.
[12] De Man P., *The Resistance to Theory*, *op. cit.*, p. 109.

duelle, aboutit, chez de Man, à l'exaltation de la rhétorique, du trope. Sa réponse à Raymond Geuss dans *Critical Inquiry* montre qu'il situe sa propre pensée par rapport à cette particularisation antihégélienne qui commença avec la critique des jeunes hégéliens : « Si la vérité est l'appropriation du monde par le Moi dans la pensée et partant dans le langage, alors la vérité qui est, par définition, le général absolu contient aussi un élément constitutif de particularisation qui n'est pas compatible avec son universalité. »[13]

Chez Paul de Man, ce processus de particularisation aboutit à la valorisation du *plan de l'expression* et de la rhétorique au sens nietzschéen du terme. Mais il commence, comme chez Kierkegaard, comme chez certains jeunes hégéliens et les existentialistes, par la mise en scènce des apories existentielles de l'individu. Christopher Norris insiste sur l'affinité philosophique entre de Man et le philosophe danois qui fut peut-être le premier à douter des « rapports normatifs entre langage, vérité et subjectivité »[14].

Dans ce contexte, il n'est guère étonnant que, dans les écrits des années 50 et 60, Paul de Man ait abordé les problèmes littéraires et philosophiques dans une perspective existentielle et qu'il se soit orienté vers la pensée de Heidegger. Commentant ces textes, Ortwin de Graef cherche à mettre en rapport deux modes de lecture coexistant chez de Man : le mode *existentiel* et le mode *rhétorique*. Dans un premier temps, il parle du « conflit entre des lectures fondées sur des "catégories existentielles" et celles fondées sur des "catégories rhétoriques" »[15].

[13] De Man P., « Reply to Raymond Geuss », dans *Critical Inquiry*, 10, 1983, p. 388.

[14] Norris Ch., *The Deconstructive Turn*, Londres, Routledge, 1983, p. 88.

[15] De Graef O., *Serenity in Crisis : A Preface to Paul de Man, 1939-1960*, Univ. de Louvain, Thèse, 1992, p. 26 (à paraître chez Univ. of Nebraska Press, 1993).

Tandis que le premier mode de lecture vise la notion d'unité textuelle garantie par un projet existentiel, le second est régi par l'idée d'une intention d'unité avortée, médiatisée par la rhétorique. Ortwin de Graef conclut qu'aucune séparation rigide des deux modes de lecture n'est possible, étant donné qu'ils coexistent dans des analyses hybrides dominées à la fois par l'approche existentielle et la rhétorique. Ses recherches ont l'air de confirmer la thèse présentée plus haut selon laquelle la plupart des critiques du système hégélien aboutissent à des particularisations plus ou moins radicales. De ce point de vue, la particularisation existentielle (jeune hégélienne et nietzschéenne) et la particularisation rhétorique (nietzschéenne) apparaissent comme complémentaires.

Dans ses écrits des années 50 et 60, de Man d'une part se réclame de Heidegger pour fonder sa propre recherche de l'unité de l'Etre et s'applique, d'autre part, à révéler les contradictions rhétoriques sous-jacentes aux différents projets littéraires. Considéré sous cet angle, son article sur Keats et Hölderlin (« Keats and Hölderlin », 1956), qui part de la problématique à la fois hégélienne et existentialiste d'une rupture entre le sujet et l'objet (« le Monde ») et qui présente le projet de Hölderlin comme une tentative « pour récupérer l'unité de l'Etre perdue au début »[16], complète sa critique (pré-)rhétorique des *Mots* de Sartre. Dans cette critique (« Sartre's Confessions », 1964), de Man affirme que *Les mots* prétendent être une autobiographie à la Rousseau mais qu'ils sont en réalité un texte à thèse : « *Les mots* ne sont pas le genre de texte qu'ils prétendent être. »[17] On verra que cette recherche de la contradiction rhétorique et indépassable (non hégélienne et non dialectique) s'accentuera dans ses écrits de maturité.

[16] De Man P., *Critical Writings, 1953-1978*, Minneapolis, Univ. of Minnesota Press, 1989, p. 50.

[17] *Ibid.*, p. 117.

La tendance antihégélienne vers la particularisation existentielle et rhétorique explique également la critique de ce que Paul de Man appelle *l'idéologie esthétique* (*aesthetic ideology*). Une définition concise de ce concept se trouve dans l'introduction de Lindsay Waters aux *Critical Writings* (1953-1978) : « C'est une idéologie qui exige que la littérature soit dominée par le Sujet connaissant qui attribue un sens et une morale au texte. C'est une idéologie qui transforme la littérature en monument en la présentant comme un symbole de la civilisation. »[18]

Ajoutons que c'est une idéologie née au sein du logocentrisme hégélien où l'art et la littérature sont identifiés aux significations historiques postulées par le sujet philosophique. Dans un article plus récent sur la fonction du symbole chez Hegel, de Man croit pouvoir définir toute l'esthétique hégélienne comme une esthétique du symbole – « Hegel est donc un théoricien du symbole (...) »[19] – et affirme, en négligeant toute la critique du symbole par Hegel, que le principe symbolique est le principe unificateur par excellence qui permet à Hegel et aux hégéliens de considérer des œuvres d'art comme des totalités significatives exprimant des idées politiques ou morales au niveau *sensible* (*sinnlich*). Selon Christopher Norris, la thèse hégélienne que l'art est la « manifestation sensible de l'Idée » « représente, pour de Man, un affaiblissement considérable de la rigueur philosophique si on la compare avec le traitement plus complexe, circulaire et infiniment autocritique de sujets semblables par Kant »[20]. A en croire Paul de Man, c'est Friedrich Schiller qui, en adaptant l'éthique kantienne aux exigences d'une esthétique

[18] *Ibid.*, p. LVIII.

[19] De Man P., « Sign and Symbol in Hegel's *Aesthetics* », dans *Critical Inquiry*, 8, 1982, p. 765.

[20] Norris Ch., *Paul de Man. Deconstruction and the Critique of Aesthetic Ideology*, Londres, Routledge, 1988, p. 60.

unificatrice, a jeté les fondements d'une idéologie esthétique. Bien plus tard, cette idéologie à la fois logocentrique, totalisatrice et répressive fut simplifiée et vulgarisée par les nazis qui s'en servirent pour esthétiser la politique.

Norris a peut-être raison d'affirmer que le mode rhétorique de lecture ou « l'éthique de la lecture » en tant que « close reading » sont des armes braquées par de Man sur l'idéologie esthétique : « Pour de Man, l'éthique de la lecture est donc étroitement liée à une critique *politique* des pouvoirs inhérents à l'idéologie esthétique. »[21] Il est possible que des marxistes comme Terry Eagleton ne se soient pas aperçus de cette dimension critique de la pensée manienne. Pourtant, Norris a tort de comparer la critique déconstructrice de l'idéologie (hégélienne) à celle d'Adorno[22]. Car la critique adornienne qui vise le « contenu de vérité », n'a rien à voir avec la destruction rhétorique de la vérité par Nietzsche.

Or c'est vers cette de(con)struction nietzschéenne que s'oriente de Man lorsqu'il découvre « Nietzsche le philologue » (« Nietzsche the philologist »)[23] et lorsqu'il adopte le projet nietzschéen de déconstruire la philosophie par les procédés rhétoriques (figuratifs) de la littérature : « La philosophie s'avère donc être une réflexion interminable sur sa propre destruction par la littérature. »[24] En mettant en question les hiérarchies de valeurs, Nietzsche mine aussi le rapport hiérarchique entre philosophie et littérature. « Pourtant, explique Barbara Johnson, la déconstruction par Nietzsche de la valeur de valeurs aboutit précisément à la découverte que la philosophie *est* toujours déjà littérature. »[25]

[21] *Ibid.*, p. 118.
[22] *Ibid.*, p. 61.
[23] De Man P., *The Resistance to Theory*, *op. cit.*, p. 24.
[24] De Man P., *Allégories de la lecture*, *op. cit.*, p. 149.
[25] Johnson B., « Rigorous Unreliability », dans *Critical Inquiry*, 11, 1984, p. 281.

Suivant Derrida, de Man refuse donc de reconnaître les frontières génériques imposées par l'institutionnalisation du texte.

A l'instar de Derrida il affirme que la logique, la grammaire et la rhétorique ne sont pas seulement des aspects différents du langage, mais qu'ils peuvent entrer en conflit et engendrer ce qu'il appelle des *indécidabilités* et des *apories* : bref, l'illisibilité du texte. Ce qu'il appelle « indécidabilité » est irréductible à une polysémie quelconque réalisée au cours de la réception, de la lecture historique. Il s'agit d'une aporie *inhérente au texte*, donc indépendante de l'attitude qu'adopte le lecteur historique.

A cet égard, les arguments de Paul de Man se recoupent avec ceux de certains architectes américains qui se réclament de la déconstruction. « Un architecte déconstructeur n'est donc pas un architecte qui démolit des bâtiments, mais un architecte qui localise les dilemmes inhérents à des bâtiments » (« who locates the inherent dilemmas within buildings »[26]).

Dans ce texte, ce sont les mots *locates/localise* et *inherent/inhérents* qui revêtent une importance particulière : car ils montrent que les représentants de la déconstruction attribuent certaines qualités à l'objet sans se soucier de la *construction de l'objet* par un *projet* ou *un métalangage particulier*.

En cherchant à présenter un poème de Yeats comme une *allégorie* de sa propre *illisibilité*, de Man insiste sur le caractère indécidable des derniers vers :

> O body swayed to music, O brightening glance,
> How can we know the dancer from the dance ?
> (O corps que la musique entraîne, yeux rayonnants,
> Comment distinguer la danseuse de la danse ?)

[26] Wrigley M., dans P. Johnson, M. Wrigley, *Deconstructivist Architecture*, N.Y., The Museum of Modern Art, 1988, p. 13.

En affirmant que la question posée par le poème peut être lue à la fois comme une question rhétorique (il est impossible de distinguer) et comme une question littérale (il est nécessaire de distinguer), de Man croit pouvoir révéler la structure indécidable ou illisible du texte. Celui-ci peut être lu à la fois comme représentation d'une unité organique – entre le corps érotique et la musique, par exemple – *et* comme une tentative de différenciation : « Il s'avère en effet que tout le schéma établi par la première lecture peut être miné, ou déconstruit, dans les termes de la seconde, où le dernier vers, lu littéralement, signifie que, puisque la danseuse et la danse ne sont pas identiques, il pourrait être utile, peut-être même absolument nécessaire, de les distinguer (...). »[27]

Pourtant, la nécessité invoquée ou plutôt conjurée par de Man ne s'impose pas, entre autres parce que le critique isole les dernier vers du poème, renonçant à une analyse sémantique, syntaxique et phonétique du texte entier. On pourrait dire à propos de l'indécidabilité constatée par de Man ce que Greimas dit à propos de « l'ouverture infinie » du texte : qu'elle « est souvent produite par des lectures partielles »[28], des lectures incomplètes qui ne tiennent pas compte de l'interaction globale des structures.

La contradiction déconstructrice que de Man *projette* dans le texte est d'autant plus arbitraire qu'elle n'est pas accompagnée d'une réflexion sur le rôle que joue le métalangage de la déconstruction (de la rhétorique) dans la construction de l'objet poétique. La contradiction ou l'aporie est-elle vraiment inhérente à l'objet, comme a l'air de le penser de Man, ou est-elle – au moins en partie – un produit du discours déconstructeur ? Ne peut-on pas supposer que la sémiotique structurale de Greimas « révélerait » une cohérence sémantique et syn-

[27] De Man P., *Allégories de la lecture*, *op. cit.*, p. 34.

[28] Greimas A.J., Courtés J., *Sémiotique. Dictionnaire raisonné de la théorie du langage*, Paris, Hachette, 1979, p. 207.

taxique rigoureuse là où la déconstruction « révèle » des apories ? Quel est le rôle du métalangage théorique dans la reconstruction d'objets littéraires ? C'est une question qui n'a été posée ni par Greimas ni par de Man.

Une autre illustration de cette bévue théorique est la critique adressée par de Man aux lectures derridiennes de Rousseau. On se souviendra de la *Grammatologie* (cf. II, 1) où Derrida critique les tentatives de Rousseau pour concevoir l'écriture comme un « supplément », comme dérivée de la « parole présente », en suggérant que Rousseau lui-même trahit cette thèse de la primauté de la parole en laissant transparaître l'importance de l'écriture littéraire. Dans *Blindness and Insight*, de Man confirme certains arguments avancés par Derrida, mais affirme en même temps que les « aperçus » (« insights ») derridiens vont de pair avec des « bévues » (« blindness »). A en croire de Man, Rousseau était parfaitement conscient du caractère rhétorique et littéraire de son propre discours « qui met en question la vérité de son propos »[29]. Une des bévues derridiennes consiste à ignorer le caractère profondément déconstructeur du texte de Rousseau qui anticipe l'incompréhension de ses futurs lecteurs : « Il [le texte] sait et affirme qu'il sera mal compris. Il raconte l'histoire, l'allégorie de son incompréhension (...). »[30]

Mais comment de Man sait-il que Rousseau pratique une déconstruction rhétorique avant la lettre ? Ne commet-il pas une bévue herméneutique et sémiotique en projetant un modèle déconstructeur de la fin du XXe siècle sur un texte du XVIIIe ? N'a-t-il pas projeté les apories de son propre discours déconstructeur sur le texte de Rousseau en « révélant » des *apories* dans *Du contrat social* où il trouve « deux modèles rhétoriques distincts » [31] ?

[29] De Man P., *Allégories de la lecture*, *op. cit.*, p. 275.
[30] De Man P., *Blindness and Insight*, *op. cit.*, p. 136.
[31] De Man P., *Allégories de la lecture*, *op. cit.*, p. 318.

L'*aporie* est en effet le problème fondamental de la théorie manienne qui est une pseudo-dialectique régie par l'extrême ambivalence. A la différence de la dialectique hégélienne et de la dialectique négative d'Adorno, cette pseudo-dialectique ne connaît pas l'unité des contraires en tant que moment de (re-)connaissance et de vérité, mais uniquement la réunion destructrice de termes incompatibles. Celle-ci témoigne d'un scepticisme sophiste à l'égard de toutes les idéologies et de leurs systèmes de valeurs. Ce scepticisme pourrait être une conséquence de l'effondrement des idéologies nationaliste et national-socialiste dont se réclamait le jeune Paul de Man pendant l'occupation nazie de la Belgique. Car l'échec d'une idéologie entraîne l'échec de l'individu qui – selon L. Althusser – est « interpellé en sujet » par l'idéologie[32]. Il est possible que l'aporie manienne témoigne de cet échec.

2. J. Hillis Miller : la critique comme éthique

A la différence de Paul de Man qui prend comme point de départ l'existentialisme heideggerien pour développer une critique nietzschéenne et rhétorique, J. Hillis Miller commence sa carrière de critique comme disciple de Georges Poulet (qui enseigna aux Etats-Unis) et comme héritier de la critique thématique de J.-P. Richard (cf. chap. II) et de certains autres théoriciens suisses de Genève. En même temps il se réclame, comme Paul de Man, du New Criticism pour défendre le *close reading*, la version anglo-américaine de l'*explication de texte*. Ses premiers ouvrages, par exemple *The Disappearance of God : Five Nineteenth-Century Writers* (1963), témoignent de l'influence de Poulet et de l'analyse thématique-phénoménolo-

[32] Cf. Althusser, L. *Positions*, Paris, Editions Sociales, 1976, p. 123 : (...) Toute idéologie a pour fonction (...) de « constituer » des individus concrets en sujets.

gique orientée vers l'unification de l'univers par la conscience individuelle (cf. II, 4 : Jean-Pierre Richard). « L'œuvre des critiques de Genève s'empara de mon imagination », explique Miller dans *Victorian Subjects*[33].

Dans la phase déconstructrice de sa critique littéraire, Miller se sert encore de certains concepts issus de l'analyse thématique et il reste fidèle au *close reading* qu'il transforme habilement en un instrument raffiné de la déconstruction. Car l'hyperprécision du *close reading* finit par subvertir la cohérence postulée par les New Critics. Howard Felperin montre que cette subversion du New Criticism constitue le commun dénominateur de tous les déconstructeurs de Yale : « Ce que faisaient les déconstructeurs de Yale en tant qu'héritiers institutionnels du New Criticism c'était révéler à quel point le projet formel de leurs prédécesseurs avait à peine traversé la surface de la multiplicité rhétorique qu'il était censé explorer (...). »[34] Dans cette situation, des critiques comme de Man et Miller ne peuvent que déconstruire les fondements théoriques du New Criticism en démontrant, par exemple, que les totalités significatives dégagées par les New Critics n'étaient que des chimères métaphysiques : « A la différence des New Critics les déconstructeurs affirment qu'il ne va pas de soi qu'une bonne œuvre littéraire constitue une unité organique. »[35] Parallèlement à sa critique du New Criticism, Miller cherche à déconstruire les projets totalisants de Poulet qui, à en croire Miller, finit par « mettre en question ses propres présupposés fondamentaux »[36], démontrant ainsi, malgré lui, que la présence du sens est inconcevable et que

[33] Miller J. H., *Victorian Subjects*, Hemel Hempstead, Harvester-Wheatsheaf, 1990, p. 215.

[34] Felperin H., *Beyond Deconstruction*, Oxford, Clarendon Press, 1985, p. 107-108.

[35] Miller J. H., *Theory now and then*, *op. cit.*, p. 193.

[36] *Ibid.*, p. 54.

tout projet métaphysique doit nécessairement se heurter à la *différance* (Derrida, cf. II, 3).

Pourtant, Miller reste fidèle au New Criticism en rejetant l'idée – sémiotique, phénoménologique et marxiste – que la théorie de la littérature peut devenir une science. Il affirme par exemple que « l'étude de la littérature ne saurait être justifiée de la même façon que des recherches scientifiques »[37]. Récusant toute intégration de la critique littéraire à la méthodologie des sciences sociales, Miller plaide, avec Derrida et Hartman, en faveur d'une fusion entre critique et littérature : « La critique littéraire est de la littérature au second degré », lisons-nous dans *Theory Now and Then*[38]. A cet égard, les critiques déconstructeurs apparaissent comme des héritiers du romantisme qui considérait le critique comme une extension de l'auteur (cf. plus bas : G. H. Hartman).

Cette orientation romantique de la théorie vers la littérature et le discours figuratif en général va de pair, chez Miller, avec une orientation vers la déconstruction derridienne et manienne. « En parlant de déconstruction, remarque Miller, j'entends le mode de lecture pratiqué par Jacques Derrida, Paul de Man et moi-même (...). »[39] Aux Etats-Unis, ce mode de lecture acquiert un caractère éthique que G. Douglas Atkins considère à juste titre comme une sauvegarde contre le relativisme qui hante la déconstruction[40].

Le *close reading* déconstructeur est un mode de lecture éthique dans la mesure où le lecteur promet de ne rien inventer et de dégager la structure que le texte lui impose. Une sorte de définition de cette lecture se trouve dans *Victorian Subjects*, un ouvrage de Miller sur la littérature anglaise du

[37] *Ibid.*, p. 69.

[38] *Ibid.*, p. 14.

[39] *Ibid.*, p. 231.

[40] Douglas Atkins G., *Reading Deconstruction. Deconstructive Reading*, Univ. Press of Kentucky, 1983, p. 27.

XIXe siècle : « Cette éthique de la lecture est le pouvoir des mots du texte sur la pensée et les mots du lecteur. »[41] Il s'agit donc de respecter ce que Simon Critchley appelle « l'altérité » du texte (cf. plus haut, p. 73). Ce respect du texte est le point de départ de toute « bonne lecteure » (« good reading », Miller) et constitue le fondement de la déconstruction, telle que la voit Miller, qui explique dans *The Ethics of Reading* que « la déconstruction n'est ni plus ni moins que la bonne lecture tout court »[42].

Comme les défenseurs de l'*explication de texte*, Miller parle, dans *Fiction and Repetition*, de « l'interprétation adéquate »[43] et affirme ailleurs que « l'illisibilité », telle que la définit la déconstruction américaine, est inhérente au texte : « L'"illisibilité" n'est pas située dans le lecteur mais dans le texte (...). »[44] Une faiblesse fondamentale de cette conception éthique de la littérature, dont il a déjà été question dans l'introduction, réside dans l'oblitération de la problématique du *métalangage* et de la *construction d'objet*.

Ceux qui ont orienté leurs recherches vers cette problématique (certains représentants de la sémiotique et de l'herméneutique par exemple) diraient sans doute que Miller a tort de croire que ce qu'il appelle « illisibilité » se trouve exclusivement dans le texte. Il est parfaitement possible qu'un texte particulier soit « illisible », « aporétique » ou « contradictoire » ; pourtant, la (re-)construction de ses contradictions ou apories dépend, au moins en partie, du métalangage théorique (critique). Etant donné l'hétérogénéité des métalangages théoriques, il n'est guère étonnant que les contradictions textuelles dégagées par un marxiste comme Lucien Goldmann ou un

[41] Miller J. H., *Victorian Subjects*, *op. cit.*, p. 255.
[42] Miller J. H., *The Ethics of Reading*, *op. cit.*, p. 10.
[43] Miller J. H., *Fiction and Repetition*, Cambridge Mass., Harvard Univ. Press, 1982, p. XVIII.
[44] Miller J. H., *Theory now and then*, *op. cit.*, p. 345.

auteur de la Théorie critique comme Theodor Adorno soient très différentes de celles décrites (ou construites ?) par Derrida, de Man ou Miller. Dans un premier temps, il ne sert à rien d'affirmer qu'un critique – marxiste ou déconstructeur – « a tort » ou qu'il a commis « une erreur » ; avant d'entamer la discussion il convient de poser la question du métalangage qui a été complètement négligée par Miller et de Man. On verra que l'oubli de cette question cruciale rend compte de la conception a-historique du texte préconisée par les déconstructeurs qui tendent à affirmer que *tous* les textes de *toutes* les époques sont aporétiques, indécidables et illisibles et qu'ils se déconstruisent eux-mêmes.

Avant d'aborder le problème de l'historicité du texte et du rapport entre l'histoire et la déconstruction, revenons à celui de l'ambivalence, de l'indécidabilité et de l'illisibilité. Comme Derrida et Paul de Man, Miller se situe dans un contexte à la fois hégélien et nietzschéen lorsqu'il critique le concept hégélien d'*Aufhebung* et, avec celui-ci, toute la tradition dialectique. A propos du logocentrisme et du nihilisme dans le poème de Shelley *The Triumph of Life*, il remarque que les deux « sont mis en rapport d'une façon qui n'est pas une antithèse et qui n'admet aucune synthèse sous forme d'une *Aufhebung* dialectique »[45]. Il est donc essentiel de concevoir la contradiction déconstructrice comme une extrême ambivalence qui exclut toute synthèse hégélienne et toute unité dialectique en tant qu'unité de contraires et moment de vérité (Adorno).

La réunion de contraires imaginée par Miller et de Man et jadis pratiquée par Nietzsche est destructrice, aporétique et n'engendre aucune unité dialectique, aucune connaissance critique. Celle-ci est remplacée par la différance derridienne que Miller cite dans *Theory Now and Then* (p. 93) et qu'il

[45] *Ibid.*, p. 151.

pratique dans ses analyses de Wordsworth. Il a l'air de lire Hegel à rebours en affirmant, dans *The Linguistic Moment*, qu'aucune synthèse entre conscience et nature ne saurait être dégagée dans l'œuvre lyrique de Wordsworth et que la juxtaposition systématique de ses poèmes n'aboutit pas à une totalité significative mais à « une séquence infinie de lectures différées », « an unfixable sequence of deferred readings »[46].

Cette façon d'envisager la littérature et la philosophie est nietzschéenne dans la mesure où Nietzsche fut le premier à rejeter globalement la dialectique synthétisante de Hegel sans chercher, comme les auteurs de la Théorie critique, des moments de *vérité* dans l'*unité* des contraires. A propos du rapport entre Nietzsche et Miller, on a pu remarquer : « La position philosophique de Miller, fondée en partie sur celle de Nietzsche, sur une œuvre sans fond, est donc, comme l'œuvre de Nietzsche, post-philosophique. »[47]

Son caractère post-philosophique est confirmé par le rejet de la notion hégélienne de sujet radicalement critiquée par Nietzsche. Miller renoue avec cette critique en parlant de la tentative nietzschéenne de « déconstruire l'idée de l'unité du "Moi pensant" », (« deconstruct the idea of the unity of the "thinking I" »)[48]. Dans *Ariadne's Thread*, un ouvrage récent, il développe la critique de la notion de sujet en s'appuyant sur Nietzsche : « Le démembrement par Nietzsche de la notion du Moi substantiel culmine dans l'idée qu'un corps individuel peut être habité par une multitude de Moi. »[49] A cette multiplicité du Moi correspond l'hétéro-

[46] Miller J. H., *The Linguistic Moment. From Wordsworth to Stevens*, Princeton, Univ. Press, 1985, p. 48.

[47] Schweizer H., dans J. Hillis Miller, *Hawthorne and History : defacing it*, Oxford, Blackwell, 1991, p. 34.

[48] Miller J. H., *Theory now and then*, *op. cit.*, p. 85.

[49] Miller J. H., *Ariadne's Thread. Story Lines*, New Haven-Londres, Yale Univ. Press, 1992, p. 50.

généité du texte littéraire et philosophique, car, dit Miller, l'antihégélien, le nietzschéen : « Après la disparition des dieux, le poète se trouve dans une situation où les contraires sont simultanément vrais. »[50]

Ce diagnostic formulé à propos du poète américain Wallace Stevens est appliqué par Miller à tous les écrivains et toutes les œuvres commentées par lui. Que ce soit *The Triumph of Life* de Shelley, *Adam Bede* de George Eliot, *Wuthering Heights* d'Emily Brontë ou *Die Wahlverwandtschaften* de Goethe, Miller découvre invariablement au moins deux lectures *incompatibles* qui engendrent l'*aporie*, l'*indécidabilité*. Dans *Fiction and Repetition*, il résume son argument fondamental à propos de *Wuthering Heights* : « Mon argument est que les meilleures lectures seront celles qui rendent le mieux compte de l'hétérogénéité du texte, de sa présentation d'un ensemble de significations possibles qui sont systématiquement reliées et déterminées par le texte, mais logiquement incompatibles. »[51]

Commentant le réalisme de George Eliot, en particulier celui de son roman *Adam Bede*, Miller cherche à démontrer que la doctrine du réalisme exposée dans le célèbre chapitre XVII est systématiquement contredite par la pratique scripturale de l'auteur. D'une part, Eliot rattache, dans ce chapitre, *l'esthétique réaliste à une écriture véridique capable de renoncer au fantastique et de se passer de toute rhétorique invraisemblable* ; d'autre part, son texte révèle à chaque pas sa *dépendance à l'égard du trope, de la catachrèse et de la rhétorique en général*. Le chapitre XVII lui-même doit sa force de persuasion à la rhétorique des tropes : « La narration réaliste dépend, comme le démontre d'une manière frappante ce chapitre d'*Adam Bede*, du langage figuratif », explique

[50] Miller J. H., *Tropes, Parables, Performatives. Essays in Twentieth Century Literature*, Hemel Hempstead, Harvester-Wheatsheaf, 1990, p. 36.

[51] Miller J. H., *Fiction and Repetition*, *op. cit.*, p. 51.

Miller dans *The Ethics of Reading*[52]. Dans *Victorian Subjects*, il résume sa thèse fondamentale à propos du réalisme de George Eliot : « Le texte nous met en garde contre l'argumentation par tropes dont le texte lui-même dépend. » [53]

Au niveau structural, cet argument critique est analogue à celui avancé par Paul de Man dans son analyse d'un texte de la *Recherche* de Proust. A en croire de Man, Proust affirme la supériorité de la métaphore sur la métonymie sans se rendre compte du fait que son texte « doit son pouvoir de persuasion à l'usage de structures métonymiques »[54].

Les interprétations rhétoriques de Miller et de Man suscitent au moins deux questions critiques : est-ce que les écrivains commentés affirment vraiment que le style réaliste est incompatible avec le langage figuratif et que la métaphore est préférable à la métonymie ? Une lecture attentive des textes en question montre que G. Eliot cherche à éviter l'exagération et l'idéalisation (classique), que Proust se sert de la métaphore *et* de la métonymie et qu'il parle, dans son article « A propos du "style" de Flaubert », de la métaphore qui « seule peut donner une sorte d'éternité au style ». Aucune *incompatibilité* entre le réalisme et le trope n'est postulée par Eliot, aucune *supériorité* de la métaphore sur la métonymie (qui peut avoir des qualités que la métaphore ne possède pas) n'est postulée par Proust. La seconde question concerne le métalangage de Miller et de Man. N'est-il pas probable que les contradictions « révélées » par les déconstructeurs – entre le réalisme et le langage figuratif, entre la métonymie et la métaphore – soient des constructions et des projections de leurs propres discours rhétoriques plutôt que des structures des textes interprétés ?

La bévue des déconstructeurs américains qui supprime la réflexion (auto-)critique sur le métalangage théorique est en

[52] Miller J. H., *The Ethics of Reading, op. cit.*, p. 73.
[53] Miller J. H., *Victorian Subjects, op. cit.*, p. 292.
[54] De Man P., *Allégories de la lecture, op. cit.*, p. 37.

même temps une bévue *historique*. Car Miller et de Man ont l'air d'affirmer que tous les textes, indépendamment de leur production et de leur réception dans un contexte historique particulier, sont à concevoir comme des structures contradictoires, aporétiques et « illisibles » (comme des « allégories de l'illisibilité »). « Pour de Man, remarque Miller à propos d'*Allégories de la lecture*, tous les textes (*all texts*) sont des allégories de leur propre illisibilité. »[55] Si c'était vraiment le cas, la théorie de la littérature serait condamnée à une a-historicité stérile. Partant de la prémisse douteuse que tous les textes sont au même degré contradictoires et finissent par se déconstruire eux-mêmes, elle serait incapable de distinguer, au niveau sémantique, un texte de propagande univoque du XIXe siècle d'un texte polysémique de Kafka ou de l'avant-garde.

A cet égard, Miller et de Man diffèrent de sémioticiens comme Umberto Eco ou de phénoménologues comme Wolfgang Iser qui cherchent à décrire la progression de la polysémie littéraire à travers les siècles pour pouvoir dégager les traits distinctifs de la modernité. En affirmant que tous les textes sont aporétiques et illisibles et en essayant de déconstruire les périodes littéraires, considérées comme de pures fictions et des « figures du langage » (« figures of speech », Miller), les critiques de Yale ont l'air de renouer avec la tradition a-historique du New Criticism.

Ils diffèrent radicalement de la Théorie critique d'Adorno et de Horkheimer. En insistant sur le caractère rhétorique (figuratif) de tous les textes et en refusant de reconnaître un *contenu de vérité* (*Wahrheitsgehalt*, Adorno) littéraire ou philosophique, ils finissent par mettre en question le projet *critique* de leur théorie. Car critique et vérité sont inséparables : il ne sert à rien de critiquer si la vérité reste introuvable, s'il n'y a que des masques rhétoriques.

[55] Miller J. H., *Theory now and then*, *op. cit.*, p. 341.

Dans *Hawthorne and History*, par exemple, Miller parle de « l'impossibilité d'exprimer quoi que ce soit de vérifiable » (« impossibility of expressing anything veryfiable »)[56] et considère le voile noir du prêtre, du principal acteur du récit de Hawthorne *The Minister's Black Veil*, comme un symbole de « l'illisibilité potentielle de tous les signes ». Aucune vérité psychologique ou sociologique ne saurait être dégagée de ce texte dans lequel des masques ne cachent que d'autres masques, dans lequel le visage même apparaît comme un masque. Mais au nom de quoi critiquons-nous des idéologies – et Miller prétend critiquer « l'idéologie théorique » et d'autres idéologies – si la vérité, *même partielle et provisoire*, reste inaccessible ? Le concept d'idéologie lui-même risque de perdre son sens si des antonymes comme vérité, science et théorie sont éliminés ou déconstruits par la rhétorique.

3. Geoffrey H. Hartman : romantique et nietzschéen

Comme les autres approches théoriques de la déconstruction américaine, la critique littéraire de Geoffrey H. Hartman (né à Francfort en 1929) est enracinée dans le New Criticism. A l'instar de certains New Critics comme Ransom, Brooks ou Wimsatt, Hartman exclut tout rapprochement entre le discours de la critique et celui des sciences sociales ou des sciences de la nature. Dans *Criticism in the Wilderness* (1980), il refuse d'accepter une dépendance quelconque à l'égard de ces sciences qui auraient construit « le modèle d'un *mécanisme* qui fascine par son caractère anonyme, compulsif et impersonnel »[57]. Sur ce point il renoue avec les arguments des New Critics qui insistaient sur le caractère non scientifique de leurs

[56] Miller J. H., *Hawthorne and History*, *op. cit.*, p. 97.

[57] Hartman G. H., *Criticism in the Wilderness*, New Haven-Londres, Yale Univ. Press, 1980, p. 270.

commentaires, anticipant ainsi sur la critique des sciences dans la déconstruction[58].

Mais, à la différence des New Critics qui cherchaient à rendre compte de la totalité du texte dans une perspective plutôt classiciste, Hartman se situe dans la tradition romantique (anglaise et allemande) et privilégie le fragment, l'essai et l'aphorisme. Contre les penchants classicistes du New Criticism, de Matthew Arnold et de Northrop Frye il défend ce qu'il appelle « creative criticism », « critique créatrice »[59].

Cette conception de la critique littéraire est d'origine romantique et fut développée avec beaucoup de raffinement par les frères Schlegel (cf. I, 2). Hartman se réclame à plusieurs reprises du romantisme allemand et en particulier de Friedrich Schlegel qui chercha à développer une « critique synthétisante » (« synthesizing criticism », Hartman) « qui combinerait l'art et la philosophie »[60].

Chez Hartman la critique littéraire devient, comme jadis chez les auteurs romantiques, une extension de l'écriture fictionnelle et le lecteur se transforme, comme dans les théories romantiques, en un « auteur augmenté » au sens de F. Schlegel. Hartman lui-même parle à propos de ses ouvrages déconstructeurs d'une *symbiose* entre littérature et commentaire critique : « Dans *Criticism in the Wilderness* et *Saving the Text*, je cherche à définir la symbiose ou les rapports enchevêtrés entre la littérature et le commentaire littéraire. »[61]

Cette notion de symbiose peut être considérée comme le fil conducteur de ses écrits sur les poèmes de William Wordsworth. Il essaie d'amplifier ces poèmes et de les multiplier comme l'écho multiplie la voix humaine. Au cours de ce

[58] G. Douglas Atkins parle à ce sujet d'une « symbiose qui existe entre la déconstruction et le New Criticism ».

[59] Cf. Salusinszky I., *Criticism in Society*, Londres, Methuen, 1987, p. 77.

[60] Hartman, G. H., *Criticism in the Wilderness*, *op. cit.*, p. 38.

[61] Hartman G. H., *Easy Pieces*, N.Y., Columbia Univ. Press, 1985, p. 203.

processus de multiplication, le lecteur-critique devient auteur et imagine l'auteur dans son rôle de lecteur : « Le poème de Wordsworth, explique Hartman, suggère qu'il convient de lire l'écrivain comme lecteur. »[62] Ainsi la conception néo-romantique du texte mène à un échange de rôles : l'écrivain devient lecteur et celui-ci un auteur augmenté. A propos du rapport entre Wordsworth et Hartman, Douglas Atkins remarque que le critique américain ne se contente pas d'analyser l'œuvre du poète, mais qu'il la développe (« whose work he not only elaborates but also extends »[63]). Il aurait dû ajouter que cette façon d'envisager le texte littéraire est romantique au sens de Friedrich Schlegel dont Hartman se réclame dans *Criticism in the Wilderness* : « Les fragments de l'*Athenaeum* de Friedrich Schlegel prévoient une critique synthétisante qui combinerait l'art et la philosophie. »[64]

A bien des égards, sa critique littéraire est un retour conscient aux controverses entre Hegel et les auteurs romantiques. Dans ces controverses, Hartman n'hésite pas à prendre le parti des romantiques dont l'opposition au rationalisme des Lumières et au système hégélien acquiert une certaine actualité dans une société fragmentée qui tend à refuser l'harmonie classiciste au nom de l'hétérogénéité et de la polyphonie ouverte. Son parti pris vise aussi le langage dont les obscurités lui paraissent indispensables à la survie de l'imagination : « Refuser la nourriture obscure à l'imagination (...) revient à souhaiter sa mort. »[65] L'affinité avec l'essai de Friedrich Schlegel « Sur l'incompréhensibilité » saute aux yeux (cf. I, 2).

[62] Hartman G. H., « Words, Wish, Worth : Wordsworth », dans *Deconstruction and Criticism*, Londres-Henley, RKP, 1979, p. 187.

[63] Douglas Atkins G., *Geoffrey Hartman, op. cit.*, p. 58.

[64] Hartman G. H., *Criticism in the Wilderness, op. cit.*, p. 38.

[65] Hartman G. H., *The Unremarkable Wordsworth*, Minneapolis, Univ. of Minnesota Press, 1987, p. 141.

Pourtant, le romantisme de Hartman n'est plus tout simplement romantique : il est médiatisé par l'influence de Nietzsche que Hartman considère à juste titre comme l'antipode de Hegel et comme le point de repère central de toute la déconstruction. C'est grâce à Nietzsche et à sa conception rhétorique, figurative du langage que le critique de Yale peut tenter de surmonter le décalage institutionnalisé entre le discours littéraire et le discours critique. En adoptant une perspective nietzschéenne, il peut présenter le nouveau critique, le critique déconstructeur, non pas comme un serviteur de l'auteur originel, comme un auteur secondaire, mais comme un créateur autonome, de plein droit.

Comme les autres déconstructeurs, Hartman est hanté par l'ombre de Hegel et situe la problématique de sa déconstruction par rapport à l'antagonisme entre Hegel et Nietzsche. A propos de la déconstruction de Derrida il remarque qu'elle s'oriente à la fois vers le passé et l'avenir, qu'elle prend deux directions opposées : « La première est le passé qui commence avec Hegel qui est toujours parmi nous ; l'autre est l'avenir qui commence avec Nietzsche qui est revenu parmi nous, dans la mesure où il a été découvert par la pensée française récente. »[66] Celle-ci est un peu naïvement identifiée à la déconstruction et en particulier à *Glas* de Derrida, à un livre qui surmonte les oppositions logocentristes entre littérature et théorie, littérature et philosophie. A en croire Hartman, *Glas* a été écrit contre les prétentions absolutistes de Hegel et devrait être lu comme une déconstruction systématique du savoir absolu, car « *Glas* (...) est écrit à l'ombre de Hegel pour écarter les prétentions absolutistes de celui-ci et pour faire naître un ouvrage négatif et profondément critique d'art *philosophique* »[67].

[66] Hartman G. H., *Saving the Text. Literature/Derrida/Philosophy*, Baltimore-Londres, The Hopkins Univ. Press, 1981, p. 28.
[67] Hartman G. H., *Criticism in the Wilderness, op. cit.*, p. 38.

Ecrivant dans un contexte post-hégélien (« jeune hégélien »), romantique et nietzschéen, Hartman développe un essayisme ludique et fragmentaire auquel l'écriture antisystématique et essayiste de Nietzsche sert de modèle. Dans *Beyond Formalism* (1970), il présente son style comme une « poétique ludique » (« playful poetics »)[68] qui vise à la fois la figure particulière (la métaphore, la métonymie) et le langage littéraire en général. Dans le cas de Hartman, ce langage répugne à la dialectique totalisante de Hegel ou des marxistes hégéliens comme Lukács et s'oriente vers l'écriture associative et figurative de Nietzsche et Derrida. Il abandonne la recherche du savoir absolu qu'il remplace par une « passion pour les signifiants sans signifié transcendantal »[69]. Ce qui fascine Hartman dans la philosophie de Lukács ce n'est pas l'esthétique systématique de l'époque marxiste, mais les *essais* du jeune auteur recueillis dans *L'âme et les formes* (1913) et considérés, dans *Criticism in the Wilderness*, comme des « poèmes intellectuels »[70].

A la différence de Paul de Man et Hillis Miller qui tendent à situer la contradiction formelle au centre de leurs analyses, Hartman, le romantique, le nietzschéen, est moins fasciné par l'aporie mécanique que par l'ouverture du texte philosophique ou littéraire. A cet égard, sa déconstruction est plutôt « derridienne » que « manienne » et vise plutôt la *différance* ou la *dissémination* que l'*aporie* destructrice. Pourtant, elle est bien moins radicale que celle de Derrida et Douglas Atkins n'a probablement pas tort d'affirmer que « Hartman exprime à la fois de l'admiration et de l'ennui à l'égard de la déconstruction conceptuelle de Derrida et à l'égard de la décon-

[68] Hartman G. H., *Beyond Formalism. Critical Essays 1958-1970*, New Haven-Londres, Yale Univ. Press, 1970, p. 339.

[69] Hartman G. H., *Saving the Text, op. cit.*, p. XIX.

[70] Hartman G. H., *Criticism in the Wilderness, op. cit.*, p. 196.

struction rhétorique préconisée par de Man (...) »[71]. Il serait peut-être plus juste de rapprocher ses écrits critiques de l'œuvre post-structuraliste et nietzschéenne du dernier Barthes. Comme Barthes, il recherche le plaisir du texte issu de la collusion infinie de signifiants polysémiques. Comme l'essayiste français, il polémique contre la clôture conceptuelle du texte littéraire, contre son identification à ce que Barthes appelle « le Dernier Signifié ».

La variante hartmanienne de la déconstruction, variante modérée et pragmatique qui fait contraste avec la rigidité mécanique qu'on rencontre souvent chez de Man, est fondée sur trois notions clés : *délai* (*delay*), *indétermination* (*indeterminacy*) et *négativité* (*negativity*).

Ce n'est qu'un mode de lecture régi par le « doute et le délai » (« doubt and delay »)[72] qui, selon Hartman, peut garantir une herméneutique ouverte capable de mettre en relief les ambiguïtés et les polysémies du texte. Dans sa préface à une interview avec Hartman, Imre Salusinszky souligne la parenté conceptuelle entre la *différance* derridienne et la notion de *délai* : « Le délai n'aboutit pas à la détermination ; le processus de la signification est aussi peu arrêté que les surprises de la critique. »[73] Dans *Criticism in the Wilderness*, Hartman définit le délai comme « un effort qui ne cherche pas à surmonter le négatif ou l'indéterminé, mais à rester dans leur sphère aussi longtemps qu'il le faut »[74].

Bref, il s'agit de développer une « herméneutique de l'indétermination » qui s'oppose à toute tentative hégélienne ou rationaliste de réduire le texte (et tout objet) à un système conceptuel, à une structure de signifiés : « Mais la critique contemporaine vise une herméneutique de l'indétermination.

[71] Douglas Atkins G., *Geoffrey Hartman, op. cit.*, p. 19-20.
[72] Hartman G. H., *Easy Pieces, op. cit.*, p. 182.
[73] Salusinszky I., *Criticism in Society, op. cit.*, p. 77.
[74] Hartman G. H., *Criticism in the Wilderness, op. cit.*, p. 270.

Elle propose un genre d'analyse qui a renoncé à l'ambition de maîtriser ou démystifier son sujet (texte, psyché) par des formules technocratiques, prophétiques ou autoritaires. »[75]

En essayant de situer la déconstruction de Hartman par rapport à la critique littéraire américaine, on l'opposera à la théorie de l'interprétation de E. D. Hirsch (*Objective Interpretation*, 1960, *Validity in Interpretation*, 1967) qui croit pouvoir dégager un sens objectif de l'œuvre littéraire. On l'opposera également à l'esthétique de N. Frye dont l'approche est considérée par Hartman comme « objectiviste »[76]. Il lance un défi à cet objectivisme qu'il considère comme réductionniste et logocentriste, en insistant sur la *négativité* du texte qui résiste à l'appropriation facile par la communication idéologique et commerciale. A cet égard, l'esthétique de Hartman ressemble à celle de Paul de Man et Hillis Miller qui nous mettent en garde contre les pièges de l'idéologie esthétique, toujours prête à dissoudre les œuvres d'art dans l'harmonie préétablie d'une totalité significative.

On constate aussi une certaine ressemblance entre cette approche déconstructrice et l'esthétique de T. W. Adorno qui reproche à Hegel son « intolérance de l'ambiguïté »[77], de tout ce qui est ouvert et résiste à l'appropriation par la pensée conceptuelle. Il n'est donc pas étonnant que Hartman lui-même se réclame de ce qu'il appelle « la pensée négative » de l'Ecole de Francfort : « Bien qu'elle soit antérieure au structuralisme et à la déconstruction, l'Ecole de Francfort (...) s'opposa aussi aux explications totalisantes. »[78]

[75] *Ibid.*, p. 41.

[76] Hartman G. H., *Beyond Formalism*, *op. cit.*, p. 37-38.

[77] Cf. Adorno T. W., *Théorie esthétique*, trad. M. Jimenez, Paris, Klincksieck, 1989, p. 154 et Zima P. V., *Manuel de sociocritique*, Paris, Picard, 1985, p. 79.

[78] Hartman G. H., *Easy Pieces*, *op. cit.*, p. 193.

Pourtant, l'analogie postulée par Hartman entre la négativité de la déconstruction et celle de la Théorie critique est à la fois superficielle et trompeuse : car la Théorie critique développée par Adorno, Horkheimer et – plus récemment – Habermas, n'a jamais voulu être un jeu nietzschéen avec le signifiant. En dépit de sa critique du rationalisme et du logocentrisme hégélien, qui recoupe sur certains points celle de Derrida et Hartman, elle n'a jamais renoncé ou concept de *contenu de vérité* (d'origine hégélienne). A l'opposé de la déconstruction, qui tend à considérer comme métaphysiques toutes les sciences sociales, elle est fondée sur une conception critique de la société, de ses institutions économiques et de ses structures politiques. Ses critiques du discours systématique ne s'arrêtent pas au niveau du langage, mais visent les *mécanismes de domination sociaux* que le(s) langage(s) articule(nt). Dans le dernier chapitre (IV, 3), on verra que c'est surtout la sublimation de la critique sociologique en critique rhétorique que Habermas reproche à la déconstruction. Il est donc précaire de vouloir révéler « les parallèles frappants entre la déconstruction et Adorno », comme le font Terry Eagleton dans son livre sur Benjamin et G. Douglas Atkins à la fin de son ouvrage sur Hartman[79], sans insister sur les différences.

4. Harold Bloom : « influence » et « misreading »

Disons d'emblée qu'il est impossible de subsumer l'œuvre de Harold Bloom sous le concept de « déconstruction ». Bloom lui-même a toujours insisté sur la différence qui le sépare de la déconstruction de Yale et sa méfiance à l'égard

[79] Cf. Eagleton T., *Walter Benjamin or Towards a Revolutionary Criticism*, Londres, Verso, 1981 et Douglas Atkins G., *Geoffrey Hartman*, *op. cit.*, « Appendix II ».

de cette approche théorique a augmenté après la découverte des écrits nationalistes et antisémites du jeune Paul de Man. Pourtant, sa façon de prendre ses distances est presque toujours pleine d'humour et n'a rien d'acrimonieux ou d'agressif. Dans une interview avec Imre Salusinszky, par exemple, il explique sa participation au volume collectif *Deconstruction and Criticism* (1979) qui réunit des articles de Derrida, Miller, Hartman, de Man et Bloom : « Le titre était une plaisanterie personnelle que personne ne comprend : je voulais dire que les quatre étaient la déconstruction et moi la critique. » Il ajoute : « Je n'ai pas de rapports avec la déconstruction. »[80]

C'est pourquoi la théorie littéraire de Bloom est traitée à la fin de ce chapitre, assez sommairement, comme un phénomène de transition qui annonce les débats critiques. Il s'agit de montrer, d'une part (et malgré le démenti catégorique de l'auteur lui-même), que certaines affinités entre cette théorie et la déconstruction existent et, d'autre part, que les différences révèlent les limites de la déconstruction, dues à son hostilité à la sociologie et la psychologie.

Les affinités peuvent être rapportées au romantisme et au nietzschéisme de Bloom ainsi qu'à l'orientation rhétorique de sa théorie. A propos du romantisme et du nietzschéisme du critique américain, Peter de Bolla remarque que la poésie romantique anglaise « constitue le fondement de toute l'œuvre théorique de Bloom » et que Bloom est « l'un des héritiers de la tradition nietzschéenne qui consolide à sa façon le projet ludique de l'interprétation auto-ironique »[81]. Ce qui a été dit à propos de Derrida, de Man, Miller et Hartman montre que ces auteurs peuvent également être considérés comme faisant partie de cette tradition romantique et nietzschéenne.

[80] Bloom H., dans I. Salusinszky, *Criticism in Society*, *op. cit.*, p. 68.

[81] De Bolla P., *Harold Bloom. Towards Historical Rhetorics*, Londres-N.Y., Routledge, 1988, p. 122 et p. 9.

Bloom se distingue pourtant de ces représentants de la déconstruction en concevant la rhétorique non seulement comme un discours figuratif régi par le trope irréductible, mais aussi comme un phénomène psychique (comme un mécanisme de défense au sens freudien) et comme un événement historique. C'est surtout la perspective psychanalytique ouverte par Bloom qui sera située ici au centre de la discussion, car elle fait apparaître une rhétorique bien différente de celle conçue par Miller et de Man : une *rhétorique de la persuasion* marquée par la volonté de puissance nietzschéenne et par *la volonté du poète d'affirmer le caractère unique et original de sa création face à son précurseur paternel, face au Père littéraire*.

C'est dans ce contexte qu'il faut tâcher de comprendre les deux notions clés introduites par Bloom : *influence* et *misreading* ou *misprision* (*méprise*). A en croire Bloom, le *poète fort* (*strong poet*) adapte le texte du précurseur (du « Père ») à ses propres besoins littéraires et esthétiques afin de se soustraire à l'*influence* paralysante du génie paternel. Loin d'être objectivement nécessaire, c'est-à-dire dictée par le texte conformément aux exigences de l'éthique déconstructiviste, la lecture bloomienne est donc une *méprise* (*misreading*) à la fois inconsciente et volontaire, dictée par les besoins de la *psyché individuelle* du poète ou du lecteur moyen. Loin d'être tout simplement une « lecture fausse », cette « méprise » est une adaptation personnelle et partisane, comparable à ce que Robert Escarpit appelle « trahison créatrice ».

Cette façon « volontariste » d'envisager le texte et sa lecture a une longue tradition qui remonte selon Bloom à la Cabale juive, à la Gnose et la pensée de Vico (1668-1744), fondateur de la philosophie de l'histoire et de la psychologie des nations. A propos de la Cabale, Bloom écrit dans un ouvrage sur Wallace Stevens : « La Cabale méconnaît (*misreads*) tout langage qui n'est pas de la Cabale et j'affirme que toute forte poésie tardive méconnaît tout langage qui n'est pas de la poésie. »[82] Peter de Bolla a raison d'ajouter que la méconnaissance ou méprise du poète, telle que l'entend Bloom, ne concerne pas le langage poétique en général, mais le langage du précurseur admiré et haï. A plusieurs endroits de son œuvre, Bloom se réclame de Vico qui développe et renforce la tendance de la Cabale et de la Gnose à la méprise ou méconnaissance textuelle : « Que je sache, Vico fut le premier à avoir l'idée que la plupart des critiques refusent d'accepter, à savoir que tout poète arrive après coup (*is belated*), que tout poème est un exemple de ce que Freud appela *Nachträglichkeit* ou "signification rétroactive". »[83]

A cet égard on constate une autre affinité – nietzschéenne et freudienne à la fois – entre Bloom et les auteurs de la déconstruction qui sont tous hantés par *l'extrême ambivalence* introduite dans le discours philosophique par Nietzsche. Chez Bloom, l'ambivalence prend un aspect freudien, œdipal, dans la mesure où le jeune poète – l'*éphèbe* (Bloom) – *aime* et *hait* son précurseur paternel. C'est ainsi que l'éphèbe Tennyson qui travaille sous l'influence de Keats adopte une attitude ambivalente envers le précurseur : « Une ambivalence profonde envers l'influence de Keats est le sujet proprement dit du poème de Tennyson (...). »[84] Dans *Agon* (1982), Freud est présenté comme le prophète de cette ambivalence œdipale, et dans *A Map of Misreading*, Bloom explique : « L'amour initial pour la poésie du précurseur se transforme assez vite en combat révisionniste, sans lequel l'individuation serait impossible. »[85]

[82] *Ibid.*, p. 93. - *Cabale* : collection d'écrits mystiques et tradition religieuse juive. *Gnose* (grec = connaissance) : doctrine visant la connaissance du monde suprasensible et théologie du christianisme antique.

[83] Bloom H., *Poetry and Repression. Revisionism from Blake to Stevens*, New Haven-Londres, Yale Univ. Press, 1976, p. 4.

[84] *Ibid.*, p. 149.

[85] Bloom H., *A Map of Misreading*, N.Y.-Oxford, Univ. Press, 1975, p. 10.

Ce que Bloom dit du *révisionnisme* des poètes (de leur attitude défensive envers les précurseurs) vaut également pour sa propre attitude d'éphèbe envers Freud et d'autres penseurs. Dans *A Map of Misreading*, il parle de son « propre révisionnisme à l'égard de Freud » (« my own revisionism in regard to Freud »[86]). Ce « révisionnisme » qui nie toute parenté avec ce qu'on appelle la « critique psychanalytique » ou la « psychocritique » (p. ex. celle de Ch. Mauron)[87] engendre une rhétorique nietzschéenne et psychanalytique qui prend comme point de départ ce que Bloom appelle *la scène d'instruction* (*the scene of instruction*) : la première rencontre entre le jeune *éphèbe* et son précurseur paternel.

Cette rencontre déclenche un processus de différenciation et d'autodéfinition au cours duquel les mécanismes de *refoulement* (anglais : *repression*) et de défense donnent lieu à *six attitudes révisionnistes* auxquelles correspondent des figures poétiques. Dans *The Anxiety of Influence* où il affirme que Nietzsche et Freud ont exercé « une influence décisive sur la théorie de l'influence présentée dans ce livre »[88], Bloom établit un système de correspondances entre des attitudes révisionnistes, des pulsions psychiques et des figures rhétoriques.

La plupart des six attitudes révisionnistes (*revisionary ratios*) sont désignées par des néologismes : 1. *Clinamen*, mot emprunté par Bloom à Lucrèce, désigne la première attitude révisionniste ou dissidente de l'éphèbe par rapport au poète précurseur : « Un poète dévie (*swerves away*) de son précurseur en lisant le poème du précurseur de façon à effectuer un *clinamen* par rapport à lui. »[89] La défense psychique

[86] *Ibid.*, p. 88.
[87] Bloom H., *Poetry and Repression, op. cit.*, p. 25.
[88] Bloom H., *The Anxiety of Influence. A Theory of Poetry*, Londres-Oxford-N.Y., Oxford Univ. Press, 1973, p. 8.
[89] *Ibid.*, p. 14.

qui correspond au clinamen est la *réaction-formation* (du Moi poétique), la figure rhétorique est *l'ironie* à l'égard du précurseur. 2. *Tessera*, mot emprunté à Mallarmé et Lacan (mais dont l'origine remonte aux cultes antiques), évoque l'achèvement antithétique de l'œuvre du précurseur par l'éphèbe qui cherche à démontrer que « le père » n'est pas allé jusqu'au bout. La défense psychique correspondante est le *renversement* (des rôles poétiques du père et du fils) et la figure de la *tessera* est la *synecdoque*. 3. *Kenosis* est un mot biblique dont se sert saint Paul pour décrire le renoncement du Christ à sa divinité qui lui vient du Père. D'une façon analogue l'éphèbe s'isole de son précurseur en renonçant à la poétique et à l'esthétique de ce dernier. Dans ce cas, la défense psychique est l'*isolement* ou le *dégagement* (*isolation*, *undoing*) et la figure poétique est la *métonymie*. 4. La *démonisation* (*daemonization*) est la recherche par l'éphèbe de son sublime personnel, une recherche qui met en question la singularité du précurseur. La défense psychique est le *refoulement* (*repression*) du précurseur ; elle est accompagnée de l'*hyperbole* et la *litote*. 5. Dans la phase de l'*askesis*, phase de l'autopurgation (« movement of self-purgation »), le poète renonce à une partie de lui-même afin de mieux pouvoir se séparer des autres et du précurseur. La défense correspondante est la *sublimation* qui engendre la *métaphore* sur le plan rhétorique. 6. *Apophrades*, dernière phase de la révision poétique, est le « retour des morts » (« return of the dead ») : le précurseur retourne, mais dépouillé de son identité et intériorisé par son successeur qui s'ouvre consciemment à son prédécesseur : « L'internalisation du précurseur est l'attitude que j'ai appelée *apophrades* (...). »[90] La défense correspondante est l'*introjection* et la figure rhétorique qui l'accompagne est la *métalepse*.

[90] Bloom H., *A Map of Misreading*, *op. cit.*, p. 152.

Bloom se sert de ce schéma, à la fois original et ésotérique, pour rendre compte de l'évolution intellectuelle et de la structure des poèmes d'un grand nombre de poètes lyriques dont la plupart appartiennent au romantisme de langue anglaise. Ainsi Wordsworth apparaît comme le « précurseur divin » de Shelley : « Devenir poète signifiait pour lui [Shelley] accepter une fixation primaire à un précurseur quasi divin. »[91]

Le choix de textes romantiques n'est pas le fait du hasard, il est dû à ce que toute la poésie romantique apparaît chez Bloom comme une poésie « tardive » écrite « après coup » et hantée par « l'angoisse de l'influence » : « La tradition romantique arrive *consciemment trop tard* (...). »[92] Son angoisse ne serait-elle pas *aussi* un phénomène social étroitement lié à la recherche de l'originalité et de l'innovation dictée par les lois du marché dont l'influence augmente au XIXe siècle ?

Malgré les points faibles que recèle son argumentation (comment distinguer un poète ou un « misreading » *fort* d'un poète ou d'un « misreading » *faible* ? Comment définir le rapport entre psychanalyse freudienne et rhétorique bloomienne ?), on saura gré à Bloom d'avoir mis le doigt sur une difficulté fondamentale de la déconstruction : son incapacité de relier la rhétorique du texte à la psyché de l'individu et à son contexte social. Car la vie sociale est irréductible à une collusion de textes et de tropes. Cette idée fondamentale constitue le point de départ du dernier chapitre qui présentera les principaux arguments avancés contre la déconstruction.

[91] Bloom H., *Poetry and Repression*, *op. cit.*, p. 105.
[92] Bloom H., *A Map of Misreading*, *op. cit.*, p. 35.

IV

Critique de la déconstruction

Une critique dialectique et dialogique de la déconstruction ne saurait aboutir à une réfutation globale telle que l'envisage par exemple John M. Ellis en prenant comme point de départ la philosophie analytique[1]. Toute approche dialectique (au sens de la *Théorie critique/Kritische Theorie*) tiendra à démontrer à quel point la perspicacité de la déconstruction engendre des bévues spécifiques qui sont peut-être inévitables. Une telle approche finira par révéler une certaine parenté entre elle-même et l'objet de sa critique.

L'un des mérites fondamentaux de la déconstruction derridienne consiste à avoir reconnu à quel point le discours, en tant que structure transphrastique, articule la « volonté de puissance » (Nietzsche) ou la « volonté de volonté » (Heidegger, cf. I, 5). C'est un aspect de la problématique discursive mis en lumière par Adorno, mais négligé par Habermas.

En même temps, la critique du logocentrisme a confirmé et développé le théorème adornien selon lequel le texte littéraire ou autre n'est pas, comme l'avait imaginé Hegel, une totalité homogène ou une structure de signifiés définissable dans le cadre d'un structuralisme quelconque. En montrant comment le texte se soustrait à l'emprise de la pensée conceptuelle, les arguments critiques avancés par Derrida, de Man et Miller ont ébranlé certains préjugés de base du rationalisme et de la dialectique de la totalité.

[1] Cf. Ellis J. M., *Against Deconstruction*, Princeton, Univ. Press, 1989.

Malgré l'importance de ces éléments critiques qui ne devraient pas être passés sous silence, la déconstruction souffre d'un manque de réflexion dialogique et historique (cf. III, 1, 2). Derrida et ses amis croient discerner dans tous les textes des apories ou des mécanismes de dissémination et n'ont pas l'air de se rendre compte à quel point ils projettent des constructions de leurs métadiscours dans le texte analysé. Ils reproduisent ainsi certains désavantages du logocentrisme. Comme l'hégélien qui identifie le texte avec *sa* totalité, comme le structuraliste greimasien qui l'identifie avec *son* concept d'isotopie, un critique comme de Man l'identifie invariablement avec l'*aporie* qu'il a lui-même inventée.

En affirmant que *tous* les textes sont aporétiques et qu'ils finissent par se déconstruire eux-mêmes, la critique déconstructrice tend à réduire la dimension historique et sociologique de ses analyses. Car la diversité des textes et de leurs contextes historiques rend tout à fait invraisemblable l'hypothèse selon laquelle tous les textes sont des structures aporétiques. On constatera que certains de ces arguments avancés contre la déconstruction dans les chapitres précédents réapparaissent dans les commentaires critiques dont il sera question ici.

1. La critique de Derrida par Bourdieu

La critique adressée à Derrida par le sociologue Pierre Bourdieu revêt une importance particulière dans la mesure où elle vise le rapport entre les sciences sociales et la déconstruction ainsi que la situation de cette théorie philosophique dans les *institutions* de la société de marché. Disons d'emblée que Bourdieu reproche à Derrida de se cantonner dans le domaine de la philosophie idéaliste et de ne pas réfléchir – au niveau sociologique – sur les fonctions que remplit la déconstruction dans les institutions.

Se référant à l'analyse derridienne de la *Critique de la faculté de juger* (cf. I, 1), Bourdieu constate que Derrida reste dans le *champ intellectuel* (= cadre d'interaction) de la tradition philosophique idéaliste représentée par Kant : « Parce qu'il ne se retire jamais du jeu philosophique, dont il respecte les conventions, jusque dans les transgressions rituelles qui ne peuvent choquer que les intégristes, il ne peut dire que philosophiquement la vérité du texte philosophique (...). »[2] Autrement dit : le radicalisme verbal de la déconstruction ne ferait que masquer son impuissance en tant que théorie critique de la société et de ses institutions. Derrida ne se rendrait pas compte à quel point sa philosophie fonctionne dans un champ intellectuel, c'est-à-dire dans un cadre institutionnel, sanctionné par l'Etat : « Les mises en question radicales qu'annonce la philosophie trouvent en effet leur limite dans les intérêts liés à l'appartenance au champ de production philosophique. »[3]

A en croire Bourdieu, la déconstruction derridienne ressemble à l'avant-garde littéraire dont les attaques contre l'art « traditionnel » ont, en fin de compte, tourné « à la gloire de l'art et de l'artiste »[4], renforçant et perpétuant ainsi l'institution que les combattants des avant-gardes prétendaient détruire. Sous ce jour, la déconstruction apparaît comme une réponse idéelle à la crise institutionnelle de la philosophie : « la seule réponse philosophique à la destruction de la philosophie »[5]. Réponse philosophique et non pas sociologique, faudrait-il ajouter, car Bourdieu part de l'idée que la déconstruction s'ignore en tant que pensée institutionnalisée et

[2] Bourdieu P., *La distinction. Critique sociale du jugement*, Paris, Minuit, 1979, p. 580.

[3] *Ibid.*

[4] *Ibid.*, p. 581.

[5] *Ibid.*

qu'elle fonctionne à son insu dans un champ intellectuel particulier.

Dans une interview récente, il cherche à expliquer la situation institutionnelle de la déconstruction française par le fait qu'elle constitue un phénomène marginal par rapport à la philosophie officielle et que Derrida s'efforce de transformer cette marginalité en une vertu critique. A propos de la position marginale de Foucault et Derrida il remarque qu'« ils ont dû faire de nécessité sociale vertu intellectuelle et transformer le destin collectif d'une génération en choix électif »[6]. Il conclut que cette pose héroïque « a forcément quelque chose de décevant ou même un peu antipathique... »[7]

Il est toujours précaire de fonder une critique sur l'antipathie, car quelqu'un qui ne ressent pas ce genre d'antipathie à l'égard de la pensée de Derrida ne manquera pas de constater que, dans la perspective adoptée par Bourdieu, la critique du discours développée par Derrida passe inaperçue et que cette bévue est due au fait que le sociologue s'intéresse plutôt à la *fonction* institutionnelle des langages collectifs qu'à leur *structure* sémantique, syntaxique et rhétorique visée par Derrida ou de Man. Malgré son originalité et son importance pour la sémiotique et la sociolinguistique, l'ouvrage de Bourdieu *Ce que parler veut dire* (1982) témoigne de cette orientation fonctionnelle (et non fonctionnaliste) de sa sociologie qui rend la compréhension de l'analyse rhétorique pratiquée par Derrida particulièrement difficile.

Ajoutons que Bourdieu passe sous silence tout ce que Derrida a écrit sur le rôle (anti-)institutionnel de la déconstruction dans *Du droit à la philosophie* (1990). Nous y lisons par exemple : « (...) La nécessité de la déconstruction (...) n'avait pas concerné en premier lieu des contenus philosophiques, des

[6] Bourdieu P. (avec L. J. D. Wacquant), *Réponses. Pour une anthropologie réflexive*, Paris, Seuil, 1992, p. 46.

[7] *Ibid.*

thèmes ou des thèses, des philosophèmes, des poèmes, des théologèmes, des idéologèmes, mais surtout et inséparablement des cadres signifiants, des structures institutionnelles, des normes pédagogiques ou rhétoriques, les possibilités du droit, de l'autorité, de l'évaluation, de la représentation dans son marché même. »[8]

Il semble pourtant difficile, sinon impossible, de rendre compte de « cadres signifiants » et de « structures institutionnelles » tout en renonçant aux expériences et aux méthodes des sciences sociales, seules capables d'établir des rapports entre les discours et leurs contextes sociaux, politiques et institutionnels. En considérant – avec Heidegger – les sciences sociales comme « métaphysiques », la déconstruction se rend elle-même incapable de réfléchir sur son propre contexte socio-politique. Son projet de critique institutionnelle est d'emblée déjoué par sa propre hostilité à l'égard de la sémiotique, la psychologie et la sociologie. Sur ce point, Bourdieu a raison : les instruments critiques (rhétoriques) dont elle dispose en l'état actuel des choses ne permettent pas à la déconstruction de réfléchir sur le contexte social et économique dans lequel elle agit.

2. *Critique analytique et critique marxiste : Ellis, Norris, Eagleton, Lentricchia*

Dans le monde de langue anglaise, la déconstruction a été critiquée dans deux perspectives fort divergentes : dans la perspective de la philosophie analytique développée par R. Carnap, B. Russell, G. Ryle *et al.* et dans une perspective marxiste. La première a été ouverte par John M. Ellis qui cherche à révélér les contradictions logiques (formelles) et les

[8] Derrida J., *Du droit à la philosophie*, Paris, Galilée, 1990, p. 452.

faiblesses empiriques de la philosophie derridienne, la seconde par des auteurs comme Terry Eagleton (Oxford) et Frank Lentricchia (Duke University) qui reprennent certains arguments de Bourdieu en reprochant à la déconstruction de s'être isolée de la pratique politique et des sciences sociales. Dans ces débats, Christopher Norris défend les théories déconstructrices en insistant (contre Ellis) sur la précision de leurs arguments et (contre les marxistes) sur leur pertinence politique. En reproduisant certains arguments de Norris et en confrontant la position analytique avec celle des marxistes, cette section met en scène un dialogue ouvert qui continue dans la dernière partie du chapitre où la déconstruction est mise en rapport avec la Théorie critique d'Adorno et Habermas.

Certains arguments avancés contre la déconstruction franco-américaine par le philosophe analytique John M. Ellis méritent d'être examinés ici, non seulement parce qu'ils sont pertinents mais aussi parce qu'ils recoupent la critique marxiste sur plusieurs points. Ellis a probablement raison lorsqu'il doute de la distinction derridienne fondamentale entre *parole* et *écriture* et insiste sur l'impossibilité de démontrer la primauté du mot écrit : « Même en admettant que la parole ne saurait exister avant la *possibilité* de l'écriture, Derrida concède la priorité *logique* de la parole, étant donné que c'est l'*existence* de la parole qui rend l'écriture *possible*. »[9]

On pourrait objecter avec Derrida qu'il s'agit moins d'établir des priorités que de démontrer à quel point l'écriture rend manifestes les mécanismes de différ*a*nce et de dissémination que la parole recèle et refoule : ce serait le *texte* historique itérable et interprétable qui ferait apparaître les déhiscences et la non-présence du signe écrit. Malheureusement, cet argument ne renforce guère la position derridienne, parce qu'il peut être inversé : prenant appui sur le sens commun qu'ex-

[9] Ellis J. M., *Against Deconstruction*, *op. cit.*, p. 23.

prime la phrase latine *verba volant*, on pourrait affirmer que c'est précisément le signe écrit selon certaines règles et conventions qui contribue à limiter la dissémination du sens. Quoi qu'il en soit, il semble difficile de prouver la primauté de l'écriture en tant qu'« archi-écriture » (Derrida) et de démontrer que celle-ci est plus susceptible de glissements sémantiques que la parole guettée par le malentendu quotidien, la fausse citation, la faute grammaticale et l'acte manqué. La distinction *hiérarchique* entre écriture et parole reste donc un des points faibles de la déconstruction.

Ellis développe sa critique de la notion d'*écriture* en reprochant à Derrida de traiter *langage* et *écriture* comme des synonymes : « Langage ne signifie *pas* écriture et si nous nous servons d'"écriture" comme d'un substitut de "langage" nous commettons une erreur. »[10] La tendance derridienne à réduire les problèmes du langage à ceux d'une *archi-écriture* ne constitue pas seulement un point faible dans le discours de la déconstruction, mais témoigne de la rupture entre celui-ci et une science comme la linguistique qui distingue entre les particularités du langage parlé et celles du texte écrit.

C'est dans le contexte de cette rupture entre la déconstruction et les sciences sociales qu'il convient de situer un autre argument critique avancé par Ellis qui reproche à Derrida d'affirmer catégoriquement « que *tout* texte est susceptible de déconstruction et que *tout* langage mine secrètement ce qu'il affirme ». Ellis explique : « Si nous disons qu'un texte fonctionne *souvent* à des niveaux différents, alors nous retournons au domaine de la critique traditionnelle. »[11] Pour pouvoir se distinguer de cette critique, la déconstruction doit donc occuper la position extrême du « champ intellectuel » (dirait

[10] *Ibid.*, p. 24.
[11] *Ibid.*, p. 73.

Bourdieu) en affirmant que *tous* les textes peuvent être déconstruits ou se déconstruisent eux-mêmes.

On a pu constater dans les chapitres précédents que Derrida, Paul de Man et J. Hillis Miller tendent à occuper cette position a-historique et à postuler le caractère ambivalent et aporétique de tous les textes. Leur formalisme qui fait abstraction des dimensions sociales, idéologiques et psychiques du texte implique des risques dont certains ont été évoqués par Ellis et David Lehman. Ainsi Lehman s'interroge sur les effets que pourrait produire une lecture déconstructrice de *Mein Kampf* d'Adolf Hitler. Ne pourrait-on pas mettre l'accent sur le fait qu'Hitler répudie l'antisémitisme religieux ? se demande-t-il dans *Signs of the Times*[12]. On pourrait nuancer la critique de Lehman en insistant sur le caractère polysémique et contradictoire de *Mein Kampf* et sur le fait qu'une lecture déconstructrice de ce texte risque de révéler à quel point l'auteur dit secrètement le contraire de ce qu'il prétend dire ouvertement. Faut-il imaginer Hitler philosémite ? Comme tout formalisme, la déconstruction, issue de l'extrême ambivalence nietzschéenne, comporte des impondérables idéologiques. Contre elle il faudrait insister (avec Greimas) sur les structures profondes et les modèles actantiels d'un texte comme *Mein Kampf* et sur l'impossibilité de les dissoudre dans des contradictions et des polysémies dont l'existence ne devrait pourtant pas être niée.

Un autre aspect de ce formalisme est commenté par Ellis qui cherche à démontrer que surtout la déconstruction américaine n'a pu survivre dans les institutions qu'en attaquant la tradition sans jamais présenter une alternative valable : « La déconstruction et le conservatisme forment une sorte de symbiose où l'un se nourrit de l'autre ; et ainsi des idées qui méritent de périr continuent à survivre. »[13] Autrement dit : la

[12] Lehman D., *Signs of the Times. Deconstruction and the Fall of Paul de Man*, N.Y., Poseidon Press, 1991, p. 238.

[13] Ellis J. M., *Against Deconstruction*, *op. cit.*, p. 89.

lutte perpétuelle de la déconstruction contre les nombreuses variantes du logocentrisme conservateur garantit la survie de celui-ci *et* de la théorie déconstructrice. Ici, l'argument analytique rejoint la critique de Bourdieu.

Dans une réponse récente à Ellis et d'autres critiques, Christopher Norris défend la déconstruction en mettant en relief le caractère « analytique » et « rigoureux » de l'argumentation derridienne et manienne. A propos des théoriciens déconstructeurs il remarque : « (...) Ils amorcent des lectures minutieuses et critiques pour extraire les différents ordres de sens coexistants (sens logique, grammatical, rhétorique) qui organisent les textes et ce n'est qu'alors – en tenant scrupuleusement compte des circonstances – qu'ils situent les bévues des textes faites de présuppositions naïves ou précritiques. »[14]

Norris n'a pas tort, étant donné que les auteurs de la déconstruction ont souvent recours à la logique et à une hyperprécision rhétorique pour subvertir des structures que des théoriciens rationalistes considèrent comme « évidentes ». Il n'a pas tort non plus en affirmant que la « déconstruction est ouverte à une argumentation et une contre-argumentation raisonnée »[15]. Pourtant, il n'a pas l'air de tenir compte de l'origine de cette pensée dans la tradition dialectique de Hegel, des jeunes hégéliens et de Nietzsche. Cette tradition qui connaît l'unité des contraires est incompatible avec la philosophie analytique hostile à une figure de la pensée qui tend à contredire la logique propositionnelle[16].

Négligeant le contexte de la tradition dialectique et nietzschéenne, Norris tend à supprimer le caractère fon-

[14] Norris Ch., *What's Wrong with Postmodernism. Critical Theory and the Ends of Philosophy*, Londres-N.Y., Harvester-Wheatsheaf, 1990, p. 140.

[15] *Ibid.*, p. 148.

[16] Cf. Dubarle D., Doz A., *Logique et dialectique*, Paris, Larousse, 1972, p. 119.

cièrement *ambivalent* de la déconstruction qui combine la rigueur analytique (logique) avec des jeux de mots rhétoriques (nietzschéens). Il a parfaitement raison de nous rappeler, dans son ouvrage sur Derrida, que la déconstruction nous invite à réfléchir sur « les paradoxes inhérents à la nature de la raison »[17]. Malheureusement ou heureusement, la déconstruction fait bien plus : Derrida, de Man et Hartman sacrifient souvent la logique à la rhétorique, à l'association personnelle (cf. II, 5) et à un essayisme (Hartman) situé au-delà du juste et du faux. Si les déconstructeurs ne faisaient que réfléchir sur les paradoxes de la raison, leur problématique serait assimilable à celle ébauchée par la philosophie analytique ou par Wittgenstein. L'impossibilité d'assimiler la déconstruction à la pensée analytique tient au fait qu'elle est issue de la dialectique moderne.

Son origine dialectique a probablement inspiré l'ouvrage de Michael Ryan *Marxism and Deconstruction* (1982) qui envisage une synthèse de la déconstruction *derridienne* et d'un marxisme qu'on pourrait qualifier d'humaniste. Comme les tentatives d'antan pour combiner le marxisme avec la psychanalyse et l'existentialisme, le projet de Ryan souffre, malgré son caractère innovateur, d'un schématisme qui frise la simplification. Celle-ci aurait pu être évitée si l'auteur s'était interrogé sur l'affinité entre la (pseudo-)dialectique de Derrida et les philosophies post-hégéliennes des romantiques, des jeunes hégéliens et de Nietzsche. Il aurait peut-être découvert des incompatibilités entre une déconstruction anarchisante (romantique, jeune hégélienne et nietzschéenne) et un marxisme hégélien dont l'historisme et le logocentrisme ont été critiqués par Adorno dans la *Dialectique négative* (1966). Même s'il avait adopté l'interprétation non hégélienne de l'œuvre de Marx proposée par Althusser, Ryan se serait rendu

[17] Norris Ch., *Derrida*, Londres, Fontana Press, 1987, p. 163.

compte que la synthèse projetée est d'emblée vouée à l'échec : car Althusser cherche à démontrer que l'auteur du *Capital* a jeté les fondements d'une science exacte dont la découverte du continent scientifique « Histoire » est comparable à la découverte du continent mathématique par les Grecs et du continent de la physique par Galilée[18]. Or il est clair que cette lecture de l'œuvre de Marx est aussi incompatible avec des lectures déconstructrices que les interprétations hégéliennes préconisées par Lukács et Goldmann.

Pour pouvoir réaliser la synthèse projetée, Ryan a dû imaginer une troisième variante du marxisme orientée vers un humanisme diffus, le féminisme américain et la pensée écologique. Aux yeux de Ryan, ce marxisme se présente comme une théorie ouverte et interprétable : « Le marxisme, en tant que mode historique de la théorie et de la pratique, est d'emblée indécidable, c'est-à-dire ouvert à l'extension selon les possibilités offertes par l'histoire. »[19] Il n'est pas du tout sûr que « le marxisme » soit « indécidable » à ce point-là...

Il n'est pas certain non plus que les analogies entre la déconstruction et le marxisme postulées par Ryan soient des affinités (génétiques ou typologiques) réelles. Ryan avance quatre arguments fondamentaux pour justifier sa synthèse :
1. comme Marx, Derrida critique la métaphysique occidentale;
2. la critique déconstructrice renforce les tendances anticonservatrices, différentielles et pluralistes dans le marxisme ;
3. la déconstruction favorise une critique radicale des institutions capitalistes-patriarcales dans le cadre du marxisme ;
4. enfin, la déconstruction renforce les tendances égalitaires et non hiérarchiques dans l'évolution de la société socialiste.

Ces quatre points programmatiques, considérés sous le jour de l'histoire récente, rappellent les tentatives sartriennes et

[18] Cf. Althusser L., *Lénine et la philosophie*, Paris, Maspero, 1972, p. 52-54.
[19] Ryan M., *Marxism and Deconstruction. A Critical Articulation*, Londres-Baltimore, Johns Hopkins Univ. Press, 1982, p. 21.

psychanalytiques pour corriger le marxisme au niveau individuel et psychique. Comme dans la synthèse déconstructrice, il s'agissait de mettre en relief le caractère « individualiste » et « démocratique » de la théorie marxienne et du marxisme en général. Comme les critiques existentialiste et psychanalytique, celle de Ryan aboutit à une particularisation antihégélienne du marxisme, jadis envisagée par Sartre dans *Critique de la raison dialectique* (« Questions de méthode »).

Elle engendre aussi des analogies superficielles : par exemple celle entre la critique marxienne et la critique derridienne de la métaphysique. Cette analogie tend à oblitérer la différence fondamentale entre Marx et Derrida : la différence entre une critique historique et matérialiste qui cherche à dissoudre les chimères de l'idéalisme et une critique d'origine heideggerienne qui vise le principe de domination (la « volonté de volonté ») au niveau ontologique et discursif. Or Marx n'a jamais critiqué la domination en général ; l'objet de sa critique a toujours été la domination de classe en régime capitaliste. Etant donné que Heidegger et Derrida refusent d'entamer un dialogue avec les sciences sociales, les deux critiques de la métaphysique que Ryan voudrait synthétiser pourraient fort bien s'avérer être, sinon incompatibles, du moins incommensurables. Ryan lui-même effleure ce problème en constatant « qu'une théorie sociale manque dans la déconstruction »[20]. Malheureusement, le problème est bien plus grave dans la mesure où la déconstruction derridienne considère (à la différence de tous les marxismes) les sciences sociales comme métaphysiques, s'empêchant elle-même de concevoir une théorie de la société. Il n'est donc guère utile de comparer, comme le fait Ryan, la critique derridienne de l'identité (du Sujet) avec la critique marxienne de l'idée d'une société homogène : « Ainsi le marxisme ajoute une dimension

[20] *Ibid.*, p. 35.

manquante à la déconstruction en étendant celle-ci au domaine de la théorie sociale et politico-économique. »[21] On ne saurait étendre la déconstruction à un domaine que Derrida rejette comme faisant partie de la métaphysique occidentale[22].

Dans sa critique de la synthèse proposée par Ryan, le marxiste Terry Eagleton reprend quelques-uns de ses arguments avancés contre la déconstruction dans *The Function of Criticism* (1984). Prenant le contre-pied de la thèse principale de Ryan, selon laquelle la déconstruction et le marxisme sont des théories qui s'opposent à l'esprit hiérarchique, Eagleton nous rappelle que le marxisme est une doctrine révolutionnaire qui ne saurait renoncer aux notions d'organisation et de discipline : « Car la discipline, le pouvoir, l'unité et l'autorité sont des traits caractéristiques indispensables à tout mouvement révolutionnaire qui n'a pas abandonné l'espoir de réussir (...). »[23]

Ailleurs, Eagleton reproche à la déconstruction de miner cet espoir en décomposant, par sa critique radicale du concept de sujet, le sujet historique (« the subjective agency »), seul capable de lutter, « au niveau politique plutôt que textuel » (« politically rather than textually »), contre les systèmes idéologiques que la déconstruction cherche à subvertir[24]. Ici la critique marxiste rejoint et renforce la critique analytique selon laquelle la déconstruction a besoin du logocentrisme conservateur qu'elle ne cesse d'attaquer sans jamais (vouloir) le détruire. La théorie marxiste par contre, telle que la voit Eagleton, est inséparable de la pratique politique qui vise le

[21] *Ibid.*, p. 63.
[22] Cf. Derrida J., *Mémoires - pour Paul de Man*, Paris, Galilée, 1988, p. 38.
[23] Eagleton T., *Against the Grain. Essays 1975-1985*, Londres-New York, Verso, 1986, p. 23.
[24] Eagleton T., *The Function of Criticism. From « The Spectator » to Post-Structuralism*, Londres-New York, Verso, 1984, p. 99.

renversement de l'ordre établi et des institutions qui constituent le fondement des discours conservateurs et logocentriques.

A cet endroit, un lecteur qui sympathise avec Derrida pourrait se demander si la déconstruction n'a pas été conçue pour faire face (entre autres) à un discours marxiste dont le caractère logocentrique et répressif est révélé chaque fois que des révolutionnaires disciplinés et dociles parviennent à saisir le pouvoir. Si le mérite théorique du marxisme consiste à révéler le caractère idéaliste et a-historique de la déconstruction, le mérite de celle-ci consiste sans doute à faire apparaître la propension marxiste au totalitarisme, jadis critiquée par Adorno. Dans la *Dialectique négative*, cet auteur de la Théorie critique constate à quel point l'historisme hégélien de Marx et Engels était hostile aux positions anarchistes.

Eagleton a pourtant raison de critiquer le conservatisme de la déconstruction américaine qui tend à bloquer le changement social en niant la possibilité du récit historique : « C'est parce que de Man réduit systématiquement l'historicité à une temporalité vide qu'il déplace les dilemmes de l'intellectuel libéral en régime capitaliste avancé vers le domaine d'une ironie qui structure le discours en tant que tel. »[25]

Cette critique de la déconstruction américaine est concrétisée par Frank Lentricchia qui remarque à propos de Paul de Man : « De Man peut savoir ce qu'il sait parce que, dans sa théorie de l'histoire, l'avenir n'existe pas (...). »[26] Il n'existe pas parce que l'action historique et le récit historique qui la rendraient possible se heurtent à l'aporie déconstructrice et à l'impossibilité de connaître le réel : « Il [de Man] parle de la paralysie de l'action sous-tendue par une aporie "entre le trope et la persuasion" qui refuse toute lucidité à l'intellect et qui

[25] *Ibid.*, p. 100.

[26] Lentricchia F., *Criticism and Social Change*, Chicago-Londres, Univ. of Chicago Press, 1983, p. 42.

décrète, en fin de compte, qu'aucun esprit ne sait ce qu'il fait – aucun esprit sauf celui de de Man qui reconnaît lucidement qu'aucune lucidité n'est possible. »[27]

Selon Lentricchia, la faillite de la raison historique mise en scène par de Man tient au fait que cet auteur tend à identifier le domaine historique au domaine littéraire : « Il affirme que l'histoire est une imitation de ce qu'il a défini comme le littéraire. »[28] Dans la mesure où « le littéraire », tel qu'il a été décrit par de Man, est régi par l'aporie, l'histoire en tant que texte historique ne saurait se soustraire à l'emprise de l'aporie paralysante. Plus clairement que Derrida qui cherche à critiquer les institutions sociales (en particulier celles de l'enseignement), de Man effectue une rupture entre le domaine littéraire et celui des sciences sociales. Dans la dernière section, on verra que c'est cette tentative de réduire le fait social au fait littéraire qui est critiquée par Habermas.

3. *Déconstruction et Théorie critique : Derrida, Adorno, Habermas*

La Théorie critique d'Adorno et Horkheimer, dont le point de vue a été adopté dans ce livre, doit beaucoup à la pensée de Karl Marx, mais elle ne saurait être qualifiée de « marxiste ». Dans la mesure où elle a rejeté les postulats marxiens de l'unité entre la théorie et la pratique, de l'immanence historique et de l'identité (même partielle) entre le sujet révolutionnaire et le processus historique, elle a quitté le domaine de la dialectique matérialiste établie par Marx et Engels. Son postulat kantien de la non-identité (*Nichtidentität*) entre sujet et objet, sa critique radicale de la pensée systé-

[27] *Ibid.*, p. 43.
[28] *Ibid.*, p. 49.

matique de Hegel et son orientation essayiste vers l'individu et la particularité individuelle[29] la rapprochent, dans un contexte « jeune hégélien », de Kierkegaard, de l'existentialisme sartrien et de la déconstruction. Pourtant, ce rapprochement, légitime à certains égards, ne devrait aboutir ni à l'identification ni à une tentative de synthèse.

Michael Ryan a sans doute raison d'insister sur le fait que Derrida et Adorno sont d'accord pour « attaquer la suprématie idéaliste de l'identité sur la non-identité »[30], une suprématie rationaliste et hégélienne que les deux philosophes critiques associent à la domination du sujet idéaliste et métaphysique sur ses objets et sur la nature. Ryan a tort pourtant de considérer la dialectique négative d'Adorno comme une tentative pour valoriser la dimension rhétorique de la langue : « La dialectique négative sauve la rhétorique de l'accusation d'être un simple défaut et révèle le rapport nécessaire entre la pensée et le langage. »[31] Cette phrase est trop vague : il est vrai qu'Adorno insiste sur l'importance de la forme discursive et sur le fait que tout discours systématique (rationaliste ou hégélien) tend à articuler les intérêts d'un sujet dominateur, mais il ne sacrifie nulle part la critique conceptuelle à une rhétorique des tropes.

C'est en cela qu'il se distingue radicalement de Derrida, Miller et de Man qui affirment directement et indirectement que la vérité conceptuelle est inaccessible. Adorno et Horkheimer, par contre, cherchent à orienter la pensée conceptuelle vers la *mimésis* de l'art pour atténuer les mécanismes de domination de cette pensée ; mais cela ne signifie nullement qu'ils renoncent au *concept* de vérité. *Contre* Hegel, Adorno insiste sur le caractère non conceptuel de l'art : « C'est la

[29] Cf. Zima P. V., *L'Ecole de Francfort. Dialectique de la particularité*, Paris, Ed. Universitaires, 1974, p. 27-29.
[30] Ryan M., *Marxism and Deconstruction*, *op. cit.*, p. 75.
[31] *Ibid.*

raison pour laquelle l'art se moque de la définition valable. »[32] Mais *avec* Hegel et certains marxistes il s'obstine à dégager le *contenu de vérité* des œuvres d'art.

L'extrême ambivalence sous-jacente à la dialectique négative est irréductible à l'aporie manienne ou derridienne. En révélant l'ambivalence de Stefan George, en montrant comment certains poèmes de cet auteur combinent une idéologie élitaire (marquée par un style archaïsant) avec un langage critique que les rhétoriques idéologiques et commercialisées de l'époque n'ont pas récupéré, Adorno n'affirme pas que le texte est aporétique et la vérité introuvable. Il montre plutôt à quel point la vérité et le mensonge idéologique sont enchevêtrés et à quel point la critique conceptuelle, la critique de l'idéologie (*Ideologiekritik*) est indispensable à la recherche du contenu de vérité. Il ne serait guère d'accord avec Derrida lorsque celui-ci propose « la déconstruction de toutes les significations qui ont leur source dans celle de logos. En particulier la signification de *vérité* »[33].

A la différence de Derrida et de Man les théoriciens de Francfort ont toujours poursuivi un dialogue avec les sciences sociales, en particulier avec la sociologie et la psychanalyse, afin de pouvoir dégager les dimensions critiques et les moments de vérité de ces sciences. La critique de la sociologie de la connaissance par Horkheimer ou de la psychanalyse d'Erich Fromm par Adorno ne signifie nullement qu'ils refusent les recherches sociologiques ou psychanalytiques ; elle conduit plutôt à l'élaboration d'une sociologie et d'une psychanalyse critiques. Les travaux sociologiques et empiriques d'Adorno, Horkheimer et Habermas montrent clairement que l'attitude de ces auteurs envers les sciences

[32] Adorno, T. W., *Théorie esthétique*, trad. M. Jimenez, Paris, Klincksieck, 1989 (2e éd.), p. 235.

[33] Derrida J., *De la grammatologie*, Paris, Minuit, 1967, p. 21.

sociales diffère radicalement de celle adoptée par Derrida, de Man, Hartman et Miller.

Et pourtant, une affinité importante subsiste entre la position philosophique d'Adorno et celle de Derrida, une affinité mise en relief par Habermas dans son *Discours philosophique de la modernité.* Sans abandonner le dialogue avec les sciences sociales, Adorno s'oriente, après la Seconde Guerre mondiale, vers l'art et vers une écriture essayiste capable de respecter le particulier, le singulier. Sa « pensée en modèles » qu'il préconise dans la *Dialectique négative* et surtout la composition « paratactique » (non hypotactique, non hiérarchique) de sa *Théorie esthétique* posthume pourraient être rapprochées de l'essayisme et de l'écriture antihiérarchique de Derrida.

Bien qu'il reconnaisse les différences qui séparent la dialectique du contenu de vérité de la déconstruction derridienne, Habermas reproche à Adorno de s'être éloigné du premier programme de la Théorie critique d'avant-guerre en esthétisant la théorie et en s'orientant vers l'essai et l'écriture paratactique ; il reproche à Derrida et de Man d'effacer la différence entre philosophie et littérature et d'avoir rompu avec les discours des sciences sociales en exagérant l'importance de la dimension rhétorique du langage : « La fausse prétention à dépasser la différence générique entre philosophie et littérature ne permet pas d'échapper à cette aporie. »[34]

Insistant sur le fait que même les représentants de la déconstruction ne sauraient renoncer à l'idée qu'il doit être possible de critiquer les interprétations fausses à partir d'un consensus idéal, Habermas propose comme alternative à la déconstruction et à la « parataxis » adornienne sa notion de *situation communicative idéale*. Celle-ci est caractérisée par l'absence de distorsions idéologiques, psychiques et politiques et par la

[34] Habermas J., *Le discours philosophique de la modernité*, trad. Ch. Bouchindhomme, R. Rochlitz, Paris, Gallimard, 1985, p. 247.

mise en place d'une terminologie homogène acceptée par tous les participants. Habermas part de l'idée que toute communication *présuppose* cette entente idéale située au-delà des conflits sociaux, linguistiques et psychiques[35].

Michael Ryan remarque à juste titre qu'une telle communication idéale fondée sur une terminologie homogène ne peut être garantie que « par une contrainte absolue »[36]. Pour éviter l'utopie totalitaire qui menace l'idéal de Habermas il convient de retourner à la critique du discours proposée par Adorno et Derrida, qui savent – à la différence de Habermas – que le discours est inséparable de la *volonté de puissance.* Ils discernent bien plus clairement que Habermas que tout discours est imprégné de conflits politiques, linguistiques et psychiques et que toute tentative pour supprimer ces conflits en décrétant une terminologie homogène aboutit soit à un échec éclatant, soit à une répression totalitaire. A cet égard, Derrida a raison d'insister sur le fait que la déconstruction « n'est pas une affaire discursive ou théorique mais pratico-politique »[37]. Il aurait pu dire qu'elle est une affaire *à la fois* discursive et pratico-politique.

Le dialogue théorique préconisé par Habermas est sans doute une alternative valable à l'écriture paratactique d'Adorno. Pourtant, ce dialogue ne devrait pas être fondé sur l'idéal dangereux d'une communication parfaite mais sur les critiques politiques du discours proposées par Adorno et Derrida.

[35] Cf. Habermas J., *Vorstudien und Ergänzungen zur Theorie des kommunikativen Handelns*, Francfort, Suhrkamp, 1984, p. 329-331.

[36] Ryan M., *Marxism and Deconstruction, op. cit.*, p. 113.

[37] Derrida J., *La carte postale - de Socrate à Freud et au-delà*, Paris Flammarion, 1980, p. 536.

Bibliographie

Ouvrages *sur* la déconstruction

Behler E., *Derrida-Nietzsche/Nietzsche-Derrida*, Paderborn, Schöningh, 1988.

Bolla P. de, *Harold Bloom. Towards Historical Rhetorics*, Londres-N.Y., Routledge, 1988.

Cebulla M., *Wahrheit und Authentizität. Zur Entwicklung der Literaturtheorie Paul de Mans*, Stuttgart, Metzler, 1992.

Critchley, S., *The Ethics of Deconstruction. Derrida and Levinas*, Oxford, Blackwell, 1992.

Culler J., *On Deconstruction. Theory and Criticism after Structuralism*, Ithaca-N.Y., Cornell Univ. Press, 1982.

Deconstruction and Criticism (collectif), Londres-Henley, RKP, 1979.

Derrida, n°. spécial de la *Revue philosophique*, n°. 2, 1990.

Douglas Atkins G., *Reading Deconstruction. Deconstructive Reading*, Univ. Press of Kentucky, 1983.

Douglas Atkins G., *Geoffrey Hartman. Criticism as Answerable Style*, Londres, Routledge, 1990.

Eagleton T., *The Function of Criticism*, Londres-N.Y., Verso, 1984.

Ellis J.M., *Against Deconstruction*, Princeton, Univ. Press, 1989.

Felperin H., *Beyond Deconstruction*, Oxford, Clarendon Press, 1985.

Ferraris M., *Postille a Derrida*, Turin, Rosenberg-Sellier, 1990.

Frank M., *Das Sagbare und das Unsagbare. Studien zur neuesten französischen Hermeneutik und Texttheorie*, Francfort, Suhrkamp, 1980.

Frank M., *Was ist Neostrukturalismus* ?, Francfort, Suhrkamp, 1984.

Graef O. de, *Serenity in Crisis : A Preface to Paul de Man*, 1939-1960, Univ. of Nebraska Press, 1993.

Hartman G. H., *Saving the Text. Literature/Derrida/Philosophy*, Baltimore-Londres, The Hopkins Univ. Press, 1981.

Heimonet J.-M., *Politiques de l'écriture. Bataille/Derrida*, Paris, Jean-Michel Place, 1990.

Kofman S., *Lectures de Derrida*, Paris, Galilée, 1984.

Kramer M. H., *Legal Theory, Political Theory and Deconstruction*, Bloomington-Indianapolis, Indiana Univ. Press, 1991.

Lehman D., *Signs of the Times. Deconstruction and the Fall of Paul de Man*, N.Y., Poseidon Press, 1991.

Lentricchia F., *Criticism and Social Change*, Chicago-Londres, Univ. of Chicago Press, 1983.

Norris Ch., *The Deconstructive Turn*, Londres, Routledge, 1983.

Norris Ch., *Derrida*, Londres, Fontana Press, 1987.

Norris Ch., *Paul de Man. Deconstruction and the Critique of Aesthetic Ideology*, Londres, Routledge, 1988.

Norris Ch., *What's Wrong with Postmodernism ? Critical Theory and the Ends of Philosophy*, Londres-N.Y., Harvester-Wheatsheaf, 1990.

Norris Ch., *Deconstruction. Theory and Practice*, Londres-N.Y., Methuen, 1991 (2e éd.).

Ray W., *Literary Meaning. From Phenomenology to Deconstruction*, Oxford, Blackwell, 1984.

Ryan M., *Marxism and Deconstruction. A Critical Articulation*, Londres-Baltimore, Johns Hopkins Univ. Press., 1982.

Searle J. R., *Pour réitérer les différences. Réponse à Derrida*, trad. J. Proust, Cambas, Ed. de l'Eclat, 1991.

Wrigley M., Johnson P., *Deconstructivist Architecture*, N.Y., The Museum of Modern Art, 1988.

Imprimé en France
Imprimerie des Presses Universitaires de France
73, avenue Ronsard, 41100 Vendôme
Avril 1994 — N° 40 073